U0136811

# 中國美術全集

## 金銀器玻璃器二

全國百佳圖書出版單位

時代出版傳媒股份有限公司

黃 山 書 社

# 目　　錄

遼北宋西夏金南宋（公元九一六年至公元一二七九年）

| 頁碼 | 名稱 | 時代 | 發現地 | 收藏地 |
|---|---|---|---|---|
| 211 | 鎏金鹿紋鷄冠形銀壺 | 遼 | 内蒙古赤峰市松山區城子鄉洞山村 | 中國國家博物館 |
| 212 | 鎏金雙摩羯紋提梁銀壺 | 遼 | 内蒙古赤峰市松山區城子鄉洞山村 | 内蒙古自治區赤峰市博物館 |
| 213 | 鎏金雙摩羯形銀提梁壺 | 遼 | 内蒙古赤峰市松山區城子鄉洞山村 | 内蒙古自治區赤峰市博物館 |
| 213 | 人形金飾件 | 遼 | 内蒙古阿魯科爾沁旗扎斯臺遼墓 | 内蒙古自治區阿魯科爾沁旗博物館 |
| 214 | 鎏金鴻雁紋銀耳杯 | 遼 | 内蒙古阿魯科爾沁旗扎斯臺遼墓 | 内蒙古自治區阿魯科爾沁旗博物館 |
| 214 | 鴻雁蕉葉紋五曲鋬耳銀杯 | 遼 | 内蒙古阿魯科爾沁旗扎斯臺遼墓 | 内蒙古自治區阿魯科爾沁旗博物館 |
| 215 | 圓口花腹金杯 | 遼 | 内蒙古阿魯科爾沁旗耶律羽之墓 | 内蒙古文物考古研究所 |
| 216 | 五瓣花形金杯 | 遼 | 内蒙古阿魯科爾沁旗耶律羽之墓 | 内蒙古文物考古研究所 |
| 216 | 摩羯形金耳墜 | 遼 | 内蒙古阿魯科爾沁旗耶律羽之墓 | 内蒙古文物考古研究所 |
| 217 | 鎏金四瓣花紋銀盒 | 遼 | 内蒙古阿魯科爾沁旗耶律羽之墓 | 内蒙古文物考古研究所 |
| 217 | 鎏金雙獅紋銀盒 | 遼 | 内蒙古阿魯科爾沁旗耶律羽之墓 | 内蒙古文物考古研究所 |
| 218 | 鎏金鏨花銀把杯 | 遼 | 内蒙古阿魯科爾沁旗耶律羽之墓 | 内蒙古文物考古研究所 |
| 218 | 鎏金孝子圖銀壺 | 遼 | 内蒙古阿魯科爾沁旗耶律羽之墓 | 内蒙古文物考古研究所 |
| 219 | 鎏金雙鳳紋銀盤 | 遼 | 内蒙古阿魯科爾沁旗耶律羽之墓 | 内蒙古文物考古研究所 |
| 220 | 鎏金捲草紋銀盤 | 遼 | 内蒙古阿魯科爾沁旗耶律羽之墓 | 内蒙古文物考古研究所 |
| 220 | 鎏金對雁團花紋銀渣斗 | 遼 | 内蒙古阿魯科爾沁旗耶律羽之墓 | 内蒙古博物院 |
| 221 | 鎏金鴛鴦團花紋銀渣斗 | 遼 | 内蒙古阿魯科爾沁旗耶律羽之墓 | 内蒙古文物考古研究所 |
| 222 | 鎏金龍紋“萬歲臺”銀硯盒 | 遼 | 内蒙古阿魯科爾沁旗耶律羽之墓 | 内蒙古文物考古研究所 |
| 223 | 魚鱗紋銀壺 | 遼 | 内蒙古赤峰市大營子遼駙馬墓 | 中國國家博物館 |
| 224 | 花葉紋銀蓋托 | 遼 | 内蒙古赤峰市大營子遼駙馬墓 | 内蒙古博物院 |
| 224 | 鎏金鹿紋銀座鞦 | 遼 | 内蒙古赤峰市大營子遼駙馬墓 | 内蒙古文物考古研究所 |
| 225 | 鎏金雙面人頭形銀飾 | 遼 | 内蒙古赤峰市大營子遼駙馬墓 | 内蒙古博物院 |
| 226 | 鎏金牡丹紋銀鞍飾 | 遼 | 内蒙古科爾沁右翼中旗代欽塔拉遼墓 | 内蒙古自治區興安盟文物工作站 |
| 227 | 鎏金龍紋銀腰飾 | 遼 | 遼寧建平縣張家營子遼墓 | 遼寧省博物館 |

1

| 頁碼 | 名稱 | 時代 | 發現地 | 收藏地 |
|---|---|---|---|---|
| 228 | 鳳形金耳飾 | 遼 | 遼寧建平縣張家營子遼墓 | 遼寧省博物館 |
| 228 | 金面具 | 遼 | 內蒙古奈曼旗遼陳國公主與駙馬合葬墓 | 內蒙古文物考古研究所 |
| 229 | 銀絲頭網金面具 | 遼 | 內蒙古奈曼旗遼陳國公主與駙馬合葬墓 | 內蒙古文物考古研究所 |
| 229 | 鏤花金荷包 | 遼 | 內蒙古奈曼旗遼陳國公主與駙馬合葬墓 | 內蒙古文物考古研究所 |
| 230 | 八曲連弧形金盒 | 遼 | 內蒙古奈曼旗遼陳國公主與駙馬合葬墓 | 內蒙古文物考古研究所 |
| 230 | 鏨花金針筒 | 遼 | 內蒙古奈曼旗遼陳國公主與駙馬合葬墓 | 內蒙古文物考古研究所 |
| 231 | 雙龍紋金鐲 | 遼 | 內蒙古奈曼旗遼陳國公主與駙馬合葬墓 | 內蒙古文物考古研究所 |
| 231 | 金帶銙 | 遼 | 內蒙古奈曼旗遼陳國公主與駙馬合葬墓 | 內蒙古文物考古研究所 |
| 232 | 鎏金龍戲珠紋銀盒 | 遼 | 內蒙古奈曼旗遼陳國公主與駙馬合葬墓 | 內蒙古文物考古研究所 |
| 233 | 鎏金雙鳳紋銀枕 | 遼 | 內蒙古奈曼旗遼陳國公主與駙馬合葬墓 | 內蒙古文物考古研究所 |
| 233 | 鎏金雲鳳紋銀靴 | 遼 | 內蒙古奈曼旗遼陳國公主與駙馬合葬墓 | 內蒙古文物考古研究所 |
| 234 | 鎏金雙鳳紋銀靴 | 遼 | 內蒙古奈曼旗遼陳國公主與駙馬合葬墓 | 內蒙古文物考古研究所 |
| 235 | 鎏金銀冠 | 遼 | 內蒙古奈曼旗遼陳國公主與駙馬合葬墓 | 內蒙古文物考古研究所 |
| 236 | 銀執壺 | 遼 | 內蒙古奈曼旗遼陳國公主與駙馬合葬墓 | 內蒙古文物考古研究所 |
| 236 | 鎏金花鳥鏤空銀冠 | 遼 | 內蒙古奈曼旗遼陳國公主與駙馬合葬墓 | 內蒙古文物考古研究所 |
| 237 | 鎏金銀面具 | 遼 | 北京房山區 | 首都博物館 |
| 237 | 銀面具 | 遼 | 河北平泉縣哨鹿溝 | 河北省文物研究所 |
| 238 | 鎏金童子紋銀大帶 | 遼 | 遼寧朝陽市前窗戶村遼墓 | 遼寧省朝陽市博物館 |
| 238 | 金舍利塔 | 遼 | 遼寧朝陽市 | 遼寧省文物考古研究所 |
| 239 | 金銀經塔 | 遼 | 遼寧朝陽市 | 遼寧省朝陽市北塔文物管理所 |
| 240 | 鎏金銀塔 | 遼 | 遼寧朝陽市 | 遼寧省文物考古研究所 |
| 240 | 金塔 | 遼 | 遼寧阜新蒙古族自治縣紅帽子村 | 遼寧省博物館 |
| 241 | 鎏金鳳銜珠銀舍利塔 | 遼 | 內蒙古巴林右旗 | 內蒙古自治區巴林右旗博物館 |
| 241 | 鎏金銀面具 | 遼 | 遼寧凌源市喇嘛溝1號墓 | 遼寧省凌源市博物館 |
| 242 | 柳斗形銀杯 | 遼 | 內蒙古巴林右旗白音汗 | 內蒙古博物院 |
| 242 | 仰蓮紋銀杯 | 遼 | 內蒙古巴林右旗白音汗 | 內蒙古博物院 |
| 243 | 八棱鏨花銀執壺 | 遼 | 內蒙古巴林右旗白音汗 | 內蒙古博物院 |
| 244 | 荷葉敞口銀碗 | 遼 | 內蒙古巴林右旗白音汗 | 內蒙古博物院 |
| 245 | 八棱鏨花銀碗 | 遼 | 內蒙古巴林右旗白音汗 | 內蒙古博物院 |
| 245 | 銀香爐 | 遼 | 內蒙古寧城縣頭道營子鄉埋王溝墓葬 | 內蒙古文物考古研究所 |
| 246 | 鎏金銀櫛 | 遼 | 河北易縣大北城窖藏 | 河北省博物館 |
| 246 | 鎏金銀冠 | 遼 | 傳出于內蒙古翁牛特旗 | 甘肅省博物館 |
| 247 | 銀棺 | 遼 | | 陝西歷史博物館 |
| 248 | 金舍利棺 | 北宋 | 河北定州市靜志寺 | 河北省定州市博物館 |

| 頁碼 | 名稱 | 時代 | 發現地 | 收藏地 |
|---|---|---|---|---|
| 249 | 鎏金銀椁 | 北宋 | 河北定州市静志寺 | 河北省定州市博物館 |
| 249 | 鎏金銀杯座 | 北宋 | 河北定州市静志寺 | 河北省定州市博物館 |
| 250 | 銀熏爐 | 北宋 | 河北定州市静志寺 | 河北省定州市博物館 |
| 251 | 鎏金寶相花紋銀盒 | 北宋 | 河北定州市静志寺 | 河北省定州市博物館 |
| 251 | 鎏金銀净瓶及銀簪 | 北宋 | 河北定州市静志寺 | 河北省定州市博物館 |
| 252 | 鎏金銀六角塔 | 北宋 | 河北定州市静志寺 | 河北省定州市博物館 |
| 254 | 鎏金銀六角塔 | 北宋 | 河北定州市静志寺 | 河北省定州市博物館 |
| 255 | 金棺銀椁 | 北宋 | 河南鄧州市福勝寺 | 河南博物院 |
| 256 | 金棺銀椁 | 北宋 | 陝西武功縣報本寺 | 陝西省武功縣文物管理委員會 |
| 257 | 金銀舍利塔 | 北宋 | 陝西白水縣妙覺寺 | 陝西省白水縣文物管理委員會 |
| 257 | 鳳鳥紋金帔墜 | 北宋 | 江蘇南京市幕府山北宋墓 | 南京博物院 |
| 258 | 銀椁 | 北宋 | 江蘇句容市崇明寺 | 南京博物院 |
| 258 | 金舍利棺 | 北宋 | 安徽壽縣崇禪寺 | 安徽省博物館 |
| 259 | 鎏金銀塗塔 | 北宋 | 浙江安吉縣安城村 | 浙江省安吉縣博物館 |
| 259 | 銀塔 | 北宋 | 浙江瑞安市 | 浙江省博物館 |
| 260 | 鎏金銀舍利瓶 | 北宋 | 浙江瑞安市 | 浙江省博物館 |
| 260 | 舍利盒 | 北宋 | 浙江台州市黄岩區靈石寺 | 浙江省台州市博物館 |
| 261 | 蓮花形金盞托 | 西夏 | 内蒙古巴彦淖爾市臨河區高油房西夏古城遺址 | 内蒙古博物院 |
| 262 | 鏨花金碗 | 西夏 | 内蒙古巴彦淖爾市臨河區高油房西夏古城遺址 | 内蒙古博物院 |
| 262 | 桃形鑲寶石金冠飾 | 西夏 | 内蒙古巴彦淖爾市臨河區高油房西夏古城遺址 | 内蒙古博物院 |
| 263 | 鏤空人物紋金耳墜 | 西夏 | 内蒙古巴彦淖爾市臨河區高油房西夏古城遺址 | 内蒙古博物院 |
| 263 | 荔枝紋金牌飾 | 西夏 | 寧夏銀川市西夏陵區6號陵 | 寧夏博物館 |
| 264 | 金指剔 | 西夏 | 内蒙古巴彦淖爾市臨河區高油房西夏古城遺址 | 内蒙古博物院 |
| 264 | 寶相花高足金杯 | 金 | 北京西城區月壇南街金代窖藏 | 首都博物館 |
| 265 | 金盤 | 金 | 北京西城區月壇南街金代窖藏 | 首都博物館 |
| 265 | 金步搖 | 金 | 陝西西安市臨潼區北河村窖藏 | 陝西省西安市臨潼區博物館 |
| 266 | 銀舍利棺 | 金 | 河北廊坊市 | 河北省文物研究所 |
| 267 | 八卦紋銀杯 | 南宋 | 浙江衢州市市郊瓜園村史繩祖墓 | 浙江省衢州市文物管理委員會 |
| 267 | 銀絲盒 | 南宋 | 浙江衢州市市郊瓜園村史繩祖墓 | 浙江省衢州市文物管理委員會 |
| 268 | 金鏈飾 | 南宋 | 浙江杭州市浙江大學 | 浙江省文物考古研究所 |
| 268 | 鎏金瑞果圖銀盤 | 南宋 | 江蘇溧陽市小平橋宋窖藏 | 江蘇省鎮江博物館 |
| 269 | 乳釘獅紋鎏金銀盞 | 南宋 | 江蘇溧陽市小平橋宋窖藏 | 江蘇省鎮江博物館 |
| 269 | 雙龍金帔墜 | 南宋 | 安徽宣城市西郊窑場 | 安徽省博物館 |
| 270 | 銀童子花卉托杯 | 南宋 | 安徽六安市嵩寮岩 | 安徽省六安市文物管理所 |

| 頁碼 | 名稱 | 時代 | 發現地 | 收藏地 |
|---|---|---|---|---|
| 270 | 笆斗式荷葉蓋銀罐 | 南宋 | 安徽六安市花石嘴村 | 安徽省博物館 |
| 271 | 六棱金杯和金盞 | 南宋 | 安徽休寧縣朱晞顏墓 | 安徽省博物館 |
| 271 | 葵花形金盞 | 南宋 | 安徽休寧縣朱晞顏墓 | 安徽省博物館 |
| 272 | 鎏金人物詩詞銀盤 | 南宋 | | 江西省博物館 |
| 272 | 魚戲蓮紋銀盤 | 南宋 | 江西樂安縣界溪鎮 | 江西省博物館 |
| 273 | 花鳥紋八曲銀盤 | 南宋 | 江西星子縣陸家山 | 江西省博物館 |
| 273 | 銀粉盒 | 南宋 | 江西德安縣義峰羽絨廠 | 江西省德安縣博物館 |
| 274 | 菊花形金碗 | 南宋 | 四川彭州市西大街 | 四川省彭州市博物館 |
| 275 | 瓜形金盞 | 南宋 | 四川彭州市西大街 | 四川省彭州市博物館 |
| 276 | 金簪 | 南宋 | 四川彭州市西大街 | 四川省彭州市博物館 |
| 276 | 空心金釵 | 南宋 | 四川彭州市西大街 | 四川省彭州市博物館 |
| 277 | 象蓋銀執壺 | 南宋 | 四川彭州市西大街 | 四川省彭州市博物館 |
| 278 | 蓮蓋折肩銀執壺 | 南宋 | 四川彭州市西大街 | 四川省彭州市博物館 |
| 279 | 鳳頭蓋銀執壺 | 南宋 | 四川彭州市西大街 | 四川省彭州市博物館 |
| 280 | 鳳鳥紋銀梅瓶 | 南宋 | 四川彭州市西大街 | 四川省彭州市博物館 |
| 280 | 如意雲頭紋銀梅瓶 | 南宋 | 四川彭州市西大街 | 四川省彭州市博物館 |
| 281 | 石榴花紋銀碗 | 南宋 | 四川彭州市西大街 | 四川省彭州市博物館 |
| 282 | 葵形銀盞 | 南宋 | 四川彭州市西大街 | 四川省彭州市博物館 |
| 283 | 蓮花紋銀杯 | 南宋 | 四川彭州市西大街 | 四川省彭州市博物館 |
| 283 | 夾層蜥蜴紋銀杯 | 南宋 | 四川彭州市西大街 | 四川省彭州市博物館 |
| 284 | 三足銀圓盤 | 南宋 | 四川彭州市西大街 | 四川省彭州市博物館 |
| 285 | 花口銀盤 | 南宋 | 四川彭州市西大街 | 四川省彭州市博物館 |
| 286 | 十曲銀盤 | 南宋 | 四川彭州市西大街 | 四川省彭州市博物館 |
| 287 | 高圈足銀熏爐 | 南宋 | 四川彭州市西大街 | 四川省彭州市博物館 |
| 288 | 盒式銀熏爐 | 南宋 | 四川彭州市金銀器窖藏 | 四川省彭州市博物館 |
| 289 | 樹葉形銀茶托 | 南宋 | 四川彭州市西大街 | 四川省彭州市博物館 |
| 289 | 瓜棱形銀壺 | 南宋 | 四川彭州市西大街 | 四川省彭州市博物館 |
| 290 | 海獸紋銀盤 | 南宋 | 四川遂寧市 | 四川博物院 |
| 290 | 菱花形銀盤 | 南宋 | 四川遂寧市 | 四川博物院 |
| 291 | 鏤空銀盒 | 南宋 | 四川德陽市孝泉鎮宋窖藏 | 四川博物院 |
| 291 | 蓮瓣雙鳳紋銀盒 | 南宋 | 四川德陽市孝泉鎮宋窖藏 | 四川博物院 |
| 292 | 芙蓉花瓣紋銀碗 | 南宋 | 四川安縣文星村 | 四川博物院 |
| 292 | 鎏金瓜形銀髮冠 | 南宋 | 福建福州市許峻墓 | 福建博物院 |
| 293 | 鎏金銀執壺 | 南宋 | 福建福州市許峻墓 | 福建博物院 |

| 頁碼 | 名稱 | 時代 | 發現地 | 收藏地 |
|---|---|---|---|---|
| 294 | 鎏金銀盞 | 南宋 | 福建福州市許峻墓 | 福建博物院 |
| 294 | 鎏金雙鳳紋葵瓣式銀盒 | 南宋 | 福建福州市許峻墓 | 福建博物院 |
| 295 | 捲雲紋銀粉盒 | 南宋 | 福建福州市許峻墓 | 福建博物院 |
| 295 | 鎏金銀八角杯 | 南宋 | 福建邵武市故縣村 | 福建博物院 |
| 296 | 鎏金銀八角盤 | 南宋 | 福建邵武市故縣村 | 福建博物院 |
| 296 | 鎏金銀摩羯 | 南宋 | 廣西南丹縣附城村 | 廣西壯族自治區南丹縣文物管理所 |

元（公元一二七一年至公元一三六八年）

| 頁碼 | 名稱 | 時代 | 發現地 | 收藏地 |
|---|---|---|---|---|
| 297 | 鏨花高足金杯 | 元 | 内蒙古達爾罕茂明安聯合旗大蘇吉鄉明水村 | 内蒙古博物院 |
| 297 | 鏨耳金杯 | 元 | 内蒙古烏蘭察布市 | 内蒙古博物院 |
| 298 | 花瓣式鏨耳金杯 | 元 | 内蒙古興和縣五股泉鄉五甲地墓葬 | 内蒙古博物院 |
| 299 | 金冠飾 | 元 | 内蒙古敖漢旗朝陽溝 | 内蒙古自治區敖漢旗博物館 |
| 299 | 雙龍戲珠紋包金項飾 | 元 | 内蒙古敖漢旗朝陽溝 | 内蒙古自治區敖漢旗博物館 |
| 300 | 金龍飾 | 元 | 内蒙古敖漢旗朝陽溝 | 内蒙古自治區敖漢旗博物館 |
| 300 | 迦陵頻伽金帽頂 | 元 | 内蒙古化德縣 | 内蒙古自治區烏蘭察布市博物館 |
| 301 | 龍紋金釵 | 元 | 内蒙古察哈爾右翼前旗 | 内蒙古博物院 |
| 301 | 牡丹紋金簪 | 元 | 内蒙古察哈爾右翼前旗 | 内蒙古博物院 |
| 302 | 金鞍飾 | 元 | 内蒙古鑲黃旗烏蘭溝 | 内蒙古博物院 |
| 303 | 鎏金雙龍戲珠紋銀項圈 | 元 | 内蒙古奈曼旗葦蓮蘇窖藏 | 内蒙古自治區奈曼旗王府博物館 |
| 303 | 龍首柄銀杯 | 元 | 内蒙古敖漢旗 | 内蒙古自治區敖漢旗博物館 |
| 304 | 鎏金鏨花雙鳳穿花銀玉壺春瓶 | 元 | 河南商水縣圍墻鎮圍墻村 | 故宮博物院 |
| 305 | 金蜻蜓頭飾 | 元 | 山西靈丘縣曲回寺村 | 山西省靈丘縣文物局 |
| 305 | 金飛天頭飾 | 元 | 山西靈丘縣曲回寺村 | 山西省靈丘縣文物局 |
| 306 | "聞宣造"纏枝蓮花紋金盤 | 元 | 江蘇蘇州市呂師孟墓 | 南京博物院 |
| 307 | 纏枝花果長方形金飾件 | 元 | 江蘇蘇州市呂師孟墓 | 南京博物院 |
| 307 | 纏枝花果方形金飾件 | 元 | 江蘇蘇州市呂師孟墓 | 南京博物院 |

| 頁碼 | 名稱 | 時代 | 發現地 | 收藏地 |
|---|---|---|---|---|
| 308 | "文王訪賢"金飾件 | 元 | 江蘇蘇州市呂師孟墓 | 南京博物院 |
| 308 | 荷花鴛鴦金帔墜 | 元 | 江蘇蘇州市呂師孟墓 | 南京博物院 |
| 309 | "聞宣造"鎏金團花八棱銀盒 | 元 | 江蘇蘇州市呂師孟墓 | 南京博物院 |
| 310 | 鎏金團花銀盒 | 元 | 江蘇蘇州市呂師孟墓 | 南京博物院 |
| 310 | "聞宣造"葵瓣銀盒 | 元 | 江蘇蘇州市呂師孟墓 | 南京博物院 |
| 311 | 金帶飾 | 元 | 江蘇無錫市錢裕墓 | 江蘇省無錫市博物館 |
| 311 | 鎏金花瓣式銀托和銀盞 | 元 | 江蘇無錫市錢裕墓 | 江蘇省無錫市博物館 |
| 312 | 如意雲紋銀盒 | 元 | 江蘇無錫市錢裕墓 | 江蘇省無錫市博物館 |
| 312 | 梵文銀盤 | 元 | 江蘇金壇市湖溪元窖藏 | 江蘇省鎮江博物館 |
| 313 | 鎏金蓮花銀盞 | 元 | 江蘇金壇市湖溪元窖藏 | 江蘇省鎮江博物館 |
| 313 | 蟠螭銀盞 | 元 | 江蘇金壇市湖溪元窖藏 | 江蘇省鎮江博物館 |
| 314 | 銀鏡架 | 元 | 江蘇蘇州市元張士誠父母合葬墓 | 江蘇省蘇州博物館 |
| 315 | 六瓣葵形銀盒 | 元 | 江蘇蘇州市元張士誠父母合葬墓 | 江蘇省蘇州博物館 |
| 316 | 銀槎 | 元 | 江蘇蘇州市吳中區藏書鄉社光村 | 江蘇省蘇州市吳中區文物管理委員會 |
| 317 | 金杯 | 元 | 安徽合肥市孔廟大成殿窖藏 | 安徽省博物館 |
| 317 | 金碟 | 元 | 安徽合肥市孔廟大成殿窖藏 | 安徽省博物館 |
| 318 | 銀壺 | 元 | 安徽合肥市孔廟大成殿窖藏 | 安徽省博物館 |
| 318 | 銀匜 | 元 | 安徽合肥市孔廟大成殿窖藏 | 安徽省博物館 |
| 319 | 鎏金葵紋銀盤 | 元 | 江西新余市水西鎮 | 江西省新余市博物館 |
| 319 | 鎏金"壽比仙桃"銀杯 | 元 | 福建泰寧縣 | 福建省三明市文物管理委員會 |

明（公元一三六八年至公元一六四四年）

| 頁碼 | 名稱 | 時代 | 發現地 | 收藏地 |
|---|---|---|---|---|
| 320 | 金鳳釵 | 明 | 江西南城縣明益宣王朱翊鈏墓 | 江西省博物館 |
| 322 | 西王母乘鸞金釵 | 明 | 江西南城縣明益宣王朱翊鈏墓 | 江西省博物館 |
| 322 | 金髮箍 | 明 | 江西南城縣明益宣王朱翊鈏墓 | 江西省博物館 |
| 323 | 金鳳釵 | 明 | 江西南城縣明益宣王朱翊鈏墓 | 江西省博物館 |
| 323 | 金釵 | 明 | 江西南城縣明益宣王朱翊鈏墓 | 江西省博物館 |
| 324 | 樓閣人物金簪 | 明 | 江西南城縣明益莊王朱厚燁墓 | 中國國家博物館 |

| 頁碼 | 名稱 | 時代 | 發現地 | 收藏地 |
|---|---|---|---|---|
| 324 | 樓閣人物金簪 | 明 | 江西南城縣明益莊王朱厚燁墓 | 中國國家博物館 |
| 325 | 金鳳紋金霞帔墜 | 明 | 江西南城縣明益端王朱祐檳墓 | 江西省博物館 |
| 325 | 雲鳳紋金瓶 | 明 | 北京海淀區董四墓 | 首都博物館 |
| 326 | 鏨花金飾件 | 明 | 北京宣武區萬貴墓 | 首都博物館 |
| 328 | 鏨花人物樓閣圖金八方盤 | 明 | 北京宣武區萬貴墓 | 首都博物館 |
| 329 | 八方金盞和金盞托 | 明 | 北京宣武區萬貴墓 | 首都博物館 |
| 330 | 嵌寶石龍紋帶蓋金執壺 | 明 | 北京宣武區萬通墓 | 首都博物館 |
| 331 | 金執壺 | 明 | 北京宣武區萬通墓 | 首都博物館 |
| 331 | 嵌寶石桃形金杯 | 明 | 北京宣武區萬通墓 | 首都博物館 |
| 332 | 金冠 | 明 | 北京昌平區明定陵 | 北京市定陵博物館 |
| 333 | 蟠龍紋金壺 | 明 | 北京昌平區明定陵 | 北京市定陵博物館 |
| 334 | 游龍戲珠紋金盆 | 明 | 北京昌平區明定陵 | 北京市定陵博物館 |
| 334 | 游龍戲珠紋金盂 | 明 | 北京昌平區明定陵 | 北京市定陵博物館 |
| 335 | 雲龍紋金盒 | 明 | 北京昌平區明定陵 | 北京市定陵博物館 |
| 335 | 雲龍紋金粉盒 | 明 | 北京昌平區明定陵 | 北京市定陵博物館 |
| 336 | 金匙箸瓶 | 明 | 北京昌平區明定陵 | 北京市定陵博物館 |
| 336 | 鑲寶珠桃形金香熏 | 明 | 北京昌平區明定陵 | 北京市定陵博物館 |
| 337 | 鑲珠寶金托金爵 | 明 | 北京昌平區明定陵 | 北京市定陵博物館 |
| 338 | 金盞金托 | 明 | 北京昌平區明定陵 | 北京市定陵博物館 |
| 338 | 雲頭形鑲寶石金帶飾 | 明 | 北京昌平區明定陵 | 北京市定陵博物館 |
| 339 | 鎏金麒麟紋銀盤 | 明 | 北京昌平區明定陵 | 北京市定陵博物館 |
| 339 | 鑲珠寶金銀簪 | 明 | 北京昌平區明定陵 | 北京市定陵博物館 |
| 340 | 雲龍紋金帶板 | 明 | 江蘇南京市板倉明墓 | 江蘇省南京市博物館 |
| 341 | 鳳凰金釵 | 明 | 江蘇南京市板倉明墓 | 南京博物院 |
| 341 | 雲鳳紋金帔墜 | 明 | 江蘇南京市板倉明墓 | 南京博物院 |
| 342 | 金絲髻罩 | 明 | 江蘇南京市栖霞山 | 南京博物院 |
| 342 | 嵌寶石金帽飾 | 明 | 江蘇南京市中華門外明王氏墓 | 江蘇省南京市博物館 |
| 343 | 金耳環 | 明 | 江蘇無錫市大墻門 | 南京博物院 |
| 343 | 金耳環 | 明 | 江蘇無錫市大墻門 | 南京博物院 |
| 343 | 金耳環 | 明 | 江蘇無錫市大墻門 | 南京博物院 |
| 344 | 金蟬玉葉飾片 | 明 | 江蘇蘇州市五峰山 | 南京博物院 |
| 344 | 金帶扣與挂飾 | 明 | 江蘇常州市武進區都家塘明墓 | 江蘇省常州博物館 |
| 345 | 梵文金髮簪 | 明 | 江蘇常州市王家村 | 江蘇省常州博物館 |
| 345 | 鳳紋金霞帔墜 | 明 | 安徽歙縣黃山儀表廠明墓 | 安徽省歙縣博物館 |

| 頁碼 | 名稱 | 時代 | 發現地 | 收藏地 |
|---|---|---|---|---|
| 346 | 銀舍利塔 | 明 | 上海松江區 | 上海博物館 |
| 346 | 蓮瓣式高足金杯 | 明 | 浙江龍游縣石佛村 | 浙江省龍游縣文物管理委員會 |
| 347 | 花卉紋金杯 | 明 | 河南新蔡縣 | 河南博物院 |
| 347 | 松枝紋銀杯 | 明 | 河南偃師市老城村 | 河南省偃師商城博物館 |
| 348 | 梅花紋銀杯 | 明 | 河南偃師市老城村 | 河南省偃師商城博物館 |
| 348 | 鏤雕串枝蓮嵌寶石金帶飾 | 明 | 四川平武縣王瀚墓 | 四川博物院 |
| 349 | 鏤雕人物金髮飾 | 明 | 四川平武縣王瀚妻朱氏墓 | 四川博物院 |
| 349 | 包金龍紋銀盒 | 明 | 內蒙古巴林右旗 | 內蒙古博物院 |
| 350 | 金酥油燈 | 明 | 四川阿壩藏族羌族自治州 | 四川博物院 |
| 350 | 銀鼎 | 南明 | 湖南通道侗族自治縣瓜地村南明窖藏 | 湖南省懷化市文物工作隊 |
| 351 | 銀爵 | 南明 | 湖南通道侗族自治縣瓜地村南明窖藏 | 湖南省懷化市文物工作隊 |
| 351 | 蟠桃銀杯 | 南明 | 湖南通道侗族自治縣瓜地村南明窖藏 | 湖南省懷化市文物工作隊 |

清（公元一六四四年至公元一九一一年）

| 頁碼 | 名稱 | 時代 | 發現地 | 收藏地 |
|---|---|---|---|---|
| 352 | 金編鐘 | 清 | | 故宮博物院 |
| 353 | 嵌珠寶"金甌永固"金杯 | 清 | | 故宮博物院 |
| 354 | 龍紋葫蘆式金執壺 | 清 | | 故宮博物院 |
| 355 | 雲龍紋金執壺 | 清 | | 故宮博物院 |
| 355 | 金賁巴壺 | 清 | | 故宮博物院 |
| 356 | 鎏金簪花龍柄銀壺 | 清 | | 西藏博物館 |
| 357 | 包金鏨花銀執壺 | 清 | | 西藏博物館 |
| 358 | 銀提梁壺 | 清 | | 故宮博物院 |
| 359 | 鏨花金扁壺 | 清 | | 故宮博物院 |
| 359 | 嵌瑪瑙金碗 | 清 | | 故宮博物院 |
| 360 | 鏨花高足白玉藏文蓋金碗 | 清 | | 故宮博物院 |
| 361 | 銀纍絲花瓶 | 清 | | 故宮博物院 |
| 361 | 金嵌珠鏨花杯和杯盤 | 清 | | 故宮博物院 |
| 362 | 飛鳳紋嵌寶折沿金盤 | 清 | | 西藏博物館 |
| 363 | 鏨花八寶雙鳳紋金盆 | 清 | | 故宮博物院 |
| 363 | 銀圓盒 | 清 | | 故宮博物院 |

| 頁碼 | 名稱 | 時代 | 發現地 | 收藏地 |
| --- | --- | --- | --- | --- |
| 364 | 鎏金琺瑯金硯盒 | 清 | | 故宮博物院 |
| 364 | 鏨花金如意 | 清 | | 故宮博物院 |
| 365 | 嵌珠寶蝴蝶金簪 | 清 | | 故宮博物院 |
| 365 | 銀盆金鐵樹盆景 | 清 | | 故宮博物院 |
| 366 | 金天球儀 | 清 | | 故宮博物院 |
| 367 | 金月桂挂屏 | 清 | | 故宮博物院 |
| 368 | 殿式金佛龕 | 清 | | 故宮博物院 |
| 369 | 八角亭式金佛龕 | 清 | | 故宮博物院 |
| 369 | 鎏金銀佛塔 | 清 | | 西藏自治區拉薩市羅布林卡 |
| 370 | 嵌寶金佛塔 | 清 | | 故宮博物院 |
| 371 | 崇慶皇太后金髮塔 | 清 | | 故宮博物院 |
| 372 | 嵌松石鈴形金佛塔 | 清 | | 故宮博物院 |
| 372 | 樓閣式金佛塔 | 清 | | 南京博物院 |
| 373 | 金"大威德"壇城 | 清 | | 故宮博物院 |
| 374 | 鏨金銀壇城 | 清 | | 西藏博物館 |
| 375 | 嵌松石金壇城 | 清 | | 故宮博物院 |
| 375 | 銀經匣 | 清 | | 故宮博物院 |
| 376 | 包金銀沐浴瓶 | 清 | | 西藏博物館 |
| 377 | 金鳳冠 | 清 | 江蘇豐縣大沙河鎮李衛墓 | 南京博物院 |
| 377 | 金鳳冠 | 清 | 江蘇蘇州市靈岩山畢沅夫婦墓 | 南京博物院 |
| 378 | 鎏金銀鳳冠 | 清 | 江蘇句容市 | 江蘇省鎮江博物館 |
| 379 | 嵌寶石金帽頂 | 清 | | 南京博物院 |
| 379 | 金纍絲銀柄髮釵 | 清 | 江蘇蘇州市靈岩山畢沅夫婦墓 | 南京博物院 |
| 380 | 孔雀形金飾 | 清 | 吉林通榆縣興隆山鄉公主墓 | 吉林省博物院 |
| 380 | 龍形和松竹梅金簪 | 清 | 吉林通榆縣興隆山鄉公主墓 | 吉林省博物院 |

# 玻 璃 器

戰國 (公元前四七五年至公元前二二一年)

| 頁碼 | 名稱 | 時代 | 發現地 | 收藏地 |
|---|---|---|---|---|
| 383 | 玻璃珠 | 戰國 | 湖北隨州市擂鼓墩曾侯乙墓 | 湖北省博物館 |
| 383 | 玻璃珠 | 戰國 | 湖北隨州市擂鼓墩曾侯乙墓 | 湖北省博物館 |
| 384 | 玻璃珠 | 戰國 | 湖北江陵縣九店楚墓 | 湖北省博物館 |
| 384 | 玻璃珠 | 戰國 | 河北平山縣中山王陪葬墓 | 河北省文物研究所 |
| 384 | 玻璃珠 | 戰國 | 河南洛陽市 | 河南省文物商店 |
| 385 | 玻璃珠 | 戰國 | 河南輝縣市固圍村 | 中國國家博物館 |
| 385 | 玻璃珠 | 戰國 | 山東曲阜市魯國故城遺址 | 山東省曲阜市文物局 |
| 386 | 玻璃劍首和劍珌 | 戰國 | 湖南長沙市東塘 | 湖南省博物館 |
| 386 | 玻璃璧 | 戰國 | 湖南長沙市絲茅冲 | 湖南省博物館 |
| 387 | 玻璃璧 | 戰國 | 湖南長沙市陳家大山 | 湖南省博物館 |
| 387 | 玻璃管 | 戰國 | 四川犍爲縣 | 四川博物院 |
| 387 | 玻璃管 | 戰國 | 四川犍爲縣 | 四川博物院 |

西漢東漢 (公元前二○六年至公元二二○年)

| 頁碼 | 名稱 | 時代 | 發現地 | 收藏地 |
|---|---|---|---|---|
| 388 | 玻璃杯 | 西漢 | 江蘇徐州市北洞山楚王墓 | 江蘇省徐州博物館 |
| 388 | 玻璃盤 | 西漢 | 河北滿城縣陵山中山靖王劉勝墓 | 河北省文物研究所 |
| 389 | 玻璃耳杯 | 西漢 | 河北滿城縣陵山中山靖王劉勝墓 | 河北省文物研究所 |
| 389 | 玻璃璧 | 西漢 | 陝西興平市 | 陝西歷史博物館 |
| 390 | 玻璃璧 | 西漢 | 廣西合浦縣望牛嶺2號漢墓 | 廣西壯族自治區博物館 |
| 390 | 玻璃盤 | 西漢 | 廣西合浦縣母豬嶺漢墓 | 廣西壯族自治區合浦縣博物館 |
| 391 | 玻璃環 | 西漢 | 廣西合浦縣飼料公司7號漢墓 | 廣西壯族自治區合浦縣博物館 |
| 391 | 玻璃環 | 西漢 | 廣西合浦縣飼料公司7號漢墓 | 廣西壯族自治區合浦縣博物館 |
| 392 | 圓底玻璃杯 | 西漢 | 廣西合浦縣紅頭嶺漢墓 | 廣西壯族自治區合浦縣博物館 |

| 頁碼 | 名稱 | 時代 | 發現地 | 收藏地 |
|---|---|---|---|---|
| 392 | 圓底玻璃杯 | 西漢 | 廣西合浦縣文昌塔漢墓 | 廣西壯族自治區博物館 |
| 393 | 玻璃龜形器 | 西漢 | 廣西合浦縣文昌塔漢墓 | 廣西壯族自治區博物館 |
| 393 | 玻璃矛 | 西漢 | 湖南長沙市沙湖橋 | 湖南省博物館 |
| 394 | 玻璃珠 | 西漢 | 內蒙古準格爾旗西溝畔 | 內蒙古文物考古研究所 |
| 394 | 玻璃璧 | 西漢 | 廣東廣州市 | 廣東省廣州博物館 |
| 395 | 玻璃帶鈎 | 西漢 | 廣東廣州市登峰路橫枝崗 | 廣東省廣州博物館 |
| 395 | 藍琉璃碗 | 西漢 | 廣東廣州市登峰路橫枝崗 | 廣東省廣州博物館 |
| 396 | 嵌銅玻璃板牌 | 西漢 | 廣東廣州市象崗山南越王墓 | 廣東省廣州南越王墓博物館 |
| 396 | 玻璃耳璫 | 東漢 | 河南洛陽市燒溝漢墓 | 河南省洛陽市文物工作隊 |
| 397 | 玻璃耳璫 | 東漢 | | 故宮博物院 |
| 397 | 玻璃玲 | 東漢 | 河南洛陽巾燒溝漢墓 | 河南省洛陽市文物工作隊 |
| 398 | 玻璃瓶 | 東漢 | 河南洛陽市機車二廠 | 河南省洛陽市文物工作隊 |
| 399 | 托盞高足玻璃杯 | 東漢 | 廣西貴港市漢墓 | 廣西壯族自治區博物館 |
| 400 | 圓底玻璃盤 | 東漢 | 廣西貴港市汽路5號漢墓 | 廣西壯族自治區博物館 |
| 400 | 圓底玻璃碗 | 東漢 | 廣西貴港市汽路5號漢墓 | 廣西壯族自治區博物館 |
| 401 | 碧琉璃杯 | 東漢 | 廣西貴港市火車站 | 中國國家博物館 |
| 401 | 玻璃穀紋璧 | 漢 | 甘肅靜寧縣 | 甘肅省博物館 |
| 402 | 項飾 | 漢 | 新疆和靜縣察吾呼溝古墓群3號墓地20號墓 | 新疆文物考古研究所 |
| 402 | 藍色琉璃珠項鏈 | 漢 | 新疆溫宿縣包孜東41號墓 | 新疆文物考古研究所 |
| 403 | 玻璃杯 | 漢晉 | 新疆且末縣扎滾魯克1號墓地49號墓 | 新疆維吾爾自治區博物館 |
| 403 | 料珠項鏈 | 漢晉 | 新疆民豐縣尼雅遺址 | 新疆文物考古研究所 |

東晉十六國南北朝 (公元三一七年至公元五八九年)

| 頁碼 | 名稱 | 時代 | 發現地 | 收藏地 |
|---|---|---|---|---|
| 404 | 玻璃杯 | 東晉 | 江蘇南京市象山7號墓 | 江蘇省南京市博物館 |
| 404 | 玻璃罐 | 東晉 | 江蘇南京市富貴山4號墓 | 江蘇省南京市博物館 |
| 405 | 玻璃罐 | 東晉 | 江蘇南京市仙鶴觀東晉墓 | 江蘇省南京市博物館 |
| 405 | 玻璃杯 | 十六國・北燕 | 遼寧北票市馮素弗夫婦合葬墓 | 遼寧省博物館 |
| 406 | 玻璃鴨形注 | 十六國・北燕 | 遼寧北票市馮素弗夫婦合葬墓 | 遼寧省博物館 |
| 406 | 玻璃碗 | 十六國・北燕 | 遼寧北票市馮素弗夫婦合葬墓 | 遼寧省博物館 |
| 407 | 玻璃杯 | 十六國・北燕 | 遼寧北票市馮素弗夫婦合葬墓 | 遼寧省博物館 |

| 頁碼 | 名稱 | 時代 | 發現地 | 收藏地 |
|---|---|---|---|---|
| 407 | 藍玻璃鉢 | 北魏 | 河北定州市 | 河北省文物研究所 |
| 408 | 玻璃瓶 | 北魏 | 河北定州市 | 河北省文物研究所 |
| 408 | 玻璃網紋杯 | 北魏 | 河北景縣封氏墓地 | 中國國家博物館 |
| 409 | 玻璃碗 | 北魏 | 山西大同市 | 山西省考古研究所 |
| 410 | 玻璃磨花碗 | 北周 | 陝西咸陽市國際機場北周墓 | 陝西省考古研究院 |
| 410 | 玻璃碗 | 北周 | 寧夏固原市北周李賢墓 | 寧夏回族自治區固原博物館 |

隋唐 (公元五八一年至公元九〇七年)

| 頁碼 | 名稱 | 時代 | 發現地 | 收藏地 |
|---|---|---|---|---|
| 411 | 玻璃帶蓋小罐 | 隋 | 陝西西安市隋李靜訓墓 | 中國國家博物館 |
| 411 | 玻璃瓶 | 隋 | 陝西西安市隋李靜訓墓 | 中國國家博物館 |
| 412 | 玻璃瓶 | 隋 | 陝西西安市隋李靜訓墓 | 中國國家博物館 |
| 412 | 玻璃杯 | 隋 | 陝西西安市隋李靜訓墓 | 中國國家博物館 |
| 413 | 玻璃杯 | 隋 | 陝西西安市隋李靜訓墓 | 中國國家博物館 |
| 413 | 高足玻璃杯 | 隋 | 廣西欽州市久隆隋唐1號墓 | 廣西壯族自治區欽州市博物館 |
| 413 | 玻璃戒指 | 隋 | 湖南長沙市 | 湖南省博物館 |
| 414 | 貼餅玻璃杯 | 隋 | 新疆庫車縣森木塞姆石窟 | 新疆維吾爾自治區博物館 |
| 414 | 玻璃高足盤 | 唐 | | 日本奈良正倉院 |
| 415 | 細頸玻璃瓶 | 唐 | 河南洛陽市關林唐墓 | 河南省洛陽市文物工作隊 |
| 415 | 玻璃瓶 | 唐 | 陝西西安市臨潼區慶山寺 | 陝西省西安市臨潼區博物館 |
| 416 | 龍鳳紋玻璃璧 | 唐 | 陝西乾縣陽峪鎮南陵村靖陵 | 陝西省考古研究院 |
| 417 | 龍鳳紋玻璃珮 | 唐 | 陝西乾縣陽峪鎮南陵村靖陵 | 陝西省考古研究院 |
| 418 | 花卉紋藍色玻璃盤 | 唐 | 陝西扶風縣法門寺 | 陝西省法門寺博物館 |
| 419 | 四瓣花藍色玻璃盤 | 唐 | 陝西扶風縣法門寺 | 陝西省法門寺博物館 |
| 420 | 描金楓葉紋藍色玻璃盤 | 唐 | 陝西扶風縣法門寺 | 陝西省法門寺博物館 |
| 420 | 描金波葉紋藍色玻璃盤 | 唐 | 陝西扶風縣法門寺 | 陝西省法門寺博物館 |
| 421 | 石榴紋黃玻璃盤 | 唐 | 陝西扶風縣法門寺 | 陝西省法門寺博物館 |
| 422 | 盤口細頸貼塑淡黃色玻璃瓶 | 唐 | 陝西扶風縣法門寺 | 陝西省法門寺博物館 |
| 423 | 菱環紋桶形黃色玻璃杯 | 唐 | 陝西扶風縣法門寺 | 陝西省法門寺博物館 |
| 423 | 素面玻璃托盞 | 唐 | 陝西扶風縣法門寺 | 陝西省法門寺博物館 |

遼北宋南宋 (公元九一六年至公元一二七九年)

| 頁碼 | 名稱 | 時代 | 發現地 | 收藏地 |
|---|---|---|---|---|
| 424 | 刻花玻璃瓶 | 遼 | 天津薊縣獨樂寺 | 天津博物館 |
| 425 | 綠玻璃方盤 | 遼 | 遼寧法庫縣葉茂臺7號遼墓 | 遼寧省博物館 |
| 425 | 刻花高頸玻璃瓶 | 遼 | 內蒙古奈曼旗遼陳國公主與駙馬合葬墓 | 內蒙古文物考古研究所 |
| 426 | 乳釘紋高頸玻璃瓶 | 遼 | 內蒙古奈曼旗遼陳國公主與駙馬合葬墓 | 內蒙古文物考古研究所 |
| 427 | 玻璃杯 | 遼 | 內蒙古奈曼旗遼陳國公主與駙馬合葬墓 | 內蒙古文物考古研究所 |
| 427 | 乳釘紋玻璃盤 | 遼 | 內蒙古奈曼旗遼陳國公主與駙馬合葬墓 | 內蒙古文物考古研究所 |
| 428 | 金蓋鳥形玻璃瓶 | 遼 | 遼寧朝陽市 | 遼寧省文物考古研究所 |
| 428 | 玻璃瓶 | 北宋 | 河北定州市靜志寺 | 河北省定州市博物館 |
| 429 | 刻花玻璃瓶 | 北宋 | 河北定州市靜志寺 | 河北省定州市博物館 |
| 429 | 玻璃碗 | 北宋 | 河北定州市靜志寺 | 河北省定州市博物館 |
| 430 | 玻璃杯 | 北宋 | 河北定州市靜志寺 | 河北省定州市博物館 |
| 430 | 藍玻璃大腹瓶 | 北宋 | 河北定州市靜志寺 | 河北省定州市博物館 |
| 431 | 玻璃葫蘆瓶 | 北宋 | 河北定州市靜志寺 | 河北省定州市博物館 |
| 431 | 玻璃葡萄 | 北宋 | 河北定州市靜志寺 | 河北省定州市博物館 |
| 432 | 玻璃花瓣口杯 | 北宋 | 河北定州市淨眾院 | 河北省定州市博物館 |
| 432 | 玻璃壺形鼎 | 北宋 | 河南新密市 | 河南省新密市文化館 |
| 433 | 玻璃鳥形物 | 北宋 | 河南新密市 | 河南省新密市文化館 |
| 433 | 玻璃瓶 | 北宋 | 河南新密市 | 河南省新密市文化館 |
| 434 | 玻璃瓶 | 北宋 | 河南新密市 | 河南省新密市文化館 |
| 434 | 玻璃寶蓮形物 | 北宋 | 河南新密市 | 河南省新密市文化館 |
| 435 | 藍色玻璃碗 | 北宋 | 陝西西安市第一中學 | 陝西省西安博物院 |
| 435 | 藍玻璃唾壺 | 北宋 | | 日本奈良正倉院 |
| 436 | 玻璃瓶 | 北宋 | | 遼寧省博物館 |
| 436 | 玻璃簪 | 南宋 | 湖南長沙市 | 湖南省博物館 |

元明清 (公元一二七一年至公元一九一一年)

| 頁碼 | 名稱 | 時代 | 發現地 | 收藏地 |
| --- | --- | --- | --- | --- |
| 437 | 玻璃蓮花托盞 | 元 | 甘肅漳縣元汪世顯家族墓 | 甘肅省博物館 |
| 437 | 玻璃圭 | 元 | 江蘇蘇州市元張士誠父母合葬墓 | 江蘇省蘇州博物館 |
| 438 | 黃玻璃菊瓣式渣斗 | 清 | | 故宮博物院 |
| 438 | 黃玻璃瓶 | 清 | | 故宮博物院 |
| 439 | 黃玻璃水丞 | 清 | | 故宮博物院 |
| 439 | 黃玻璃碗 | 清 | | 故宮博物院 |
| 440 | 黃玻璃鼻烟壺 | 清 | | 故宮博物院 |
| 440 | 孔雀藍玻璃瓶 | 清 | | 故宮博物院 |
| 441 | 藍玻璃刻花蠟臺 | 清 | | 故宮博物院 |
| 441 | 藍玻璃杯 | 清 | | 遼寧省博物館 |
| 441 | 藍玻璃鏤雕螳螂鼻烟壺 | 清 | | 故宮博物院 |
| 442 | 豇豆紅玻璃葫蘆形鼻烟壺 | 清 | | 故宮博物院 |
| 442 | 灑金星玻璃葫蘆形鼻烟壺 | 清 | | 故宮博物院 |
| 443 | 灑金星玻璃鼻烟壺 | 清 | | 故宮博物院 |
| 443 | 金星玻璃鼻烟壺 | 清 | | 故宮博物院 |
| 444 | 金星玻璃 "三陽開泰" 山子 | 清 | | 故宮博物院 |
| 445 | 金星玻璃天鷄式水盂 | 清 | | 故宮博物院 |
| 446 | 粉紅玻璃三足爐 | 清 | | 故宮博物院 |
| 446 | 淡粉玻璃鼻烟壺 | 清 | | 故宮博物院 |
| 446 | 磨花玻璃杯 | 清 | | 故宮博物院 |
| 447 | 彩色玻璃帶座瓶 | 清 | | 故宮博物院 |
| 447 | 攪胎玻璃瓶 | 清 | | 故宮博物院 |
| 448 | 紅透明玻璃直頸瓶 | 清 | | 故宮博物院 |
| 448 | 藍透明玻璃瓶 | 清 | | 故宮博物院 |
| 449 | 藍透明玻璃碗 | 清 | | 故宮博物院 |
| 449 | 藍透明玻璃尊 | 清 | | 故宮博物院 |
| 450 | 綠透明玻璃渣斗 | 清 | | 故宮博物院 |
| 450 | 綠透明玻璃鼻烟壺 | 清 | | 故宮博物院 |
| 450 | 透明玻璃水丞 | 清 | | 故宮博物院 |

| 頁碼 | 名稱 | 時代 | 發現地 | 收藏地 |
| --- | --- | --- | --- | --- |
| 451 | 玻璃胎畫琺瑯花卉鼻烟壺 | 清 | | 故宮博物院 |
| 452 | 玻璃胎畫琺瑯仕女鼻烟壺 | 清 | | 故宮博物院 |
| 453 | 白套橘紅玻璃花卉鼻烟壺 | 清 | | 故宮博物院 |
| 453 | 白套紅玻璃魚形鼻烟壺 | 清 | | 故宮博物院 |
| 454 | 白地套紅玻璃八卦梵文杯 | 清 | | 故宮博物院 |
| 454 | 白地套紅玻璃桃蝠紋瓶 | 清 | | 故宮博物院 |
| 455 | 白地套紅玻璃雲龍紋瓶 | 清 | | 故宮博物院 |
| 456 | 白地套紅玻璃雙合瓶 | 清 | | 故宮博物院 |
| 457 | 白地套藍玻璃超冠耳爐 | 清 | | 故宮博物院 |
| 458 | 白地套藍玻璃雙耳瓶 | 清 | | 故宮博物院 |
| 458 | 白地套綠玻璃開光花卉紋瓶 | 清 | | 故宮博物院 |
| 459 | 紅地套藍玻璃花蝶紋瓶 | 清 | | 故宮博物院 |
| 460 | 黃地套五彩玻璃瓶 | 清 | | 故宮博物院 |
| 460 | 黃地套綠玻璃瓜形盒 | 清 | | 故宮博物院 |
| 460 | 藍地套綠玻璃螭紋大丞 | 清 | | 故宮博物院 |
| 461 | 黃地套紅玻璃龍紋鉢 | 清 | | 故宮博物院 |

462　年　表

## 鎏金鹿紋鷄冠形銀壺

遼

內蒙古赤峰市松山區城子鄉洞山村出土。

通高26厘米，底長21、寬16厘米。

橢圓形口，蓋面飾花瓣紋，提梁作花式拱形單孔，梁內墊銀塊，成爲實心。壺前後兩面做雙菱形開光，中心鏨臥鹿紋。

現藏中國國家博物館。

鎏金雙摩羯紋提梁銀壺
遼
內蒙古赤峰市松山區城子鄉洞山村出土。
高42.5厘米。
壺身爲兩條直立相對的摩羯魚，魚嘴部位作壺口。
現藏內蒙古自治區赤峰市博物館。

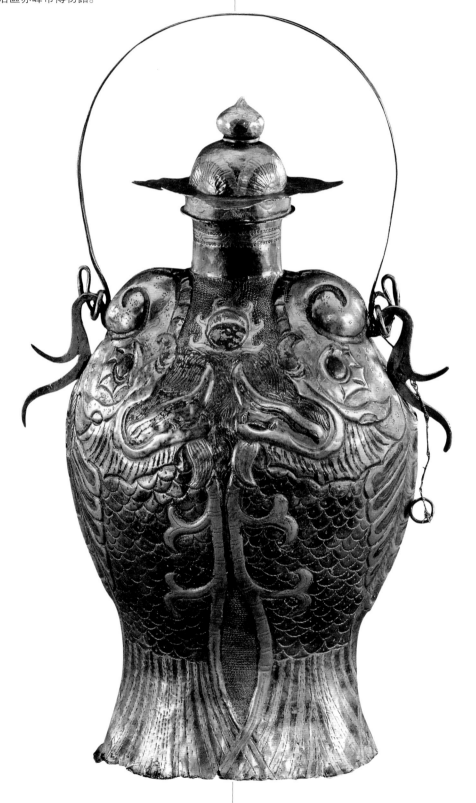

## 鎏金雙摩羯形銀提梁壺

遼

內蒙古赤峰市松山區城子鄉洞山村出土。

高34厘米。

器體略成橢圓形，腹部錘出兩條凸起摩羯魚，以魚鱗紋
爲地。

現藏內蒙古自治區赤峰市博物館。

## 人形金飾件

遼

內蒙古阿魯科爾沁旗扎斯臺遼墓出土。

高9.2厘米。

片狀，錘鍱而成。人物頭戴三叉冠，衣服上飾花草紋。

現藏內蒙古自治區阿魯科爾沁旗博物館。

**鎏金鴻雁紋銀耳杯**

遼

內蒙古阿魯科爾沁旗扎斯臺遼墓出土。

高6、口徑9厘米。

腹部分區鏨草葉紋，內底飾鴻雁紋。

現藏內蒙古自治區阿魯科爾沁旗博物館。

**鴻雁蕉葉紋五曲鋬耳銀杯**

遼

內蒙古阿魯科爾沁旗扎斯臺遼墓出土。

高4.3、口徑11厘米。

杯呈五曲花瓣狀。杯一側附鋬耳，下有圓形指環，環下飾一乳突。腹部鏨刻鴻雁紋，下腹鏨刻蕉葉紋，圈足以魚子紋爲地鏨刻花葉紋。

現藏內蒙古自治區阿魯科爾沁旗博物館。

## 圓口花腹金杯

遼

內蒙古阿魯科爾沁旗耶律羽之墓出土。

高3、口徑7.7厘米。

口作五曲式，口沿內壁飾一周蓮瓣紋，杯內底鏨雙魚
紋，外壁飾鴛鴦銜綬帶紋，周圍襯以折枝花草。

現藏內蒙古文物考古研究所。

圓口花腹金杯內底

遼北宋西夏金南宋（公元九一六年至公元一二七九年）

**五瓣花形金杯**

遼

内蒙古阿魯科爾沁旗耶律羽之墓出土。

高4.9、口徑7、底徑4厘米。

五瓣葵形口，口沿内刻一周捲草紋，底部模衝雙魚戲水圖案。腹外壁有五個開光，内飾鴻雁捲草紋。

現藏内蒙古文物考古研究所。

**摩羯形金耳墜**

遼

内蒙古阿魯科爾沁旗耶律羽之墓出土。

通長4.4、寬4.4厘米。

龍首魚身，頭有雙角。采用錘鍱、焊接加工而成。

現藏内蒙古文物考古研究所。

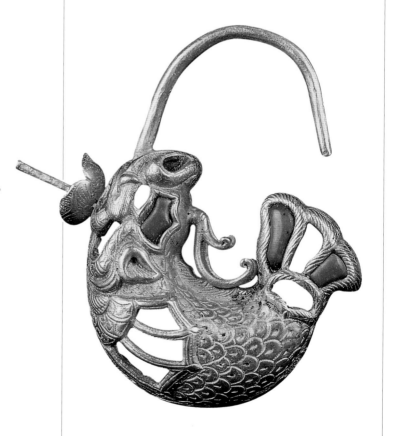

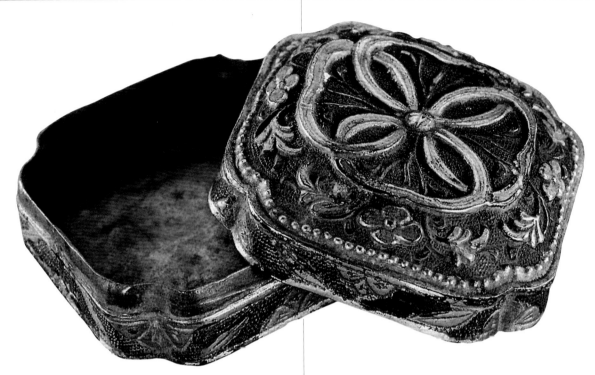

**鎏金四瓣花紋銀盒**

遼

內蒙古阿魯科爾沁旗耶律羽之墓出土。

高2.2、口徑4.7厘米。

盒呈方形曲角狀。盒蓋中心飾四瓣花紋，周圍飾折枝花，外圍爲聯珠紋。蓋與盒身周邊以魚子紋爲地，上飾花葉紋。

現藏內蒙古文物考古研究所。

**鎏金雙獅紋銀盒**

遼

內蒙古阿魯科爾沁旗耶律羽之墓出土。

高8.9、口徑14.6厘米。

盒呈外向連弧形。盒蓋中心飾雙獅騰躍，外圍以凸綫、聯珠和花朵爲邊。外層鏨刻飛鳥、昆蟲、雲朵和纏枝紋，以寶相蓮紋作框。側面鏨刻雙獅、雙鹿、雙羊及花卉紋。

現藏內蒙古文物考古研究所。

## 鎏金鏨花銀把杯

遼

内蒙古阿魯科爾沁旗耶律羽之墓出土。

高6.2、口徑7.2厘米。

杯身七角，口沿一側有橢圓形花式指墊，表面模鑄捲草，下帶指鋬，腹部用聯珠紋分隔成七面，每面鏨刻一高士像，口沿及圈足邊緣亦以聯珠紋裝飾。

現藏内蒙古文物考古研究所。

## 鎏金孝子圖銀壺

遼

内蒙古阿魯科爾沁旗耶律羽之墓出土。

高14.8、口徑7.6厘米。

銀壺圓唇外捲，肩部出棱。頸部和腹部開光處鏨刻八組孝行故事。

現藏内蒙古文物考古研究所。

## 鎏金雙鳳紋銀盤

遼

內蒙古阿魯科爾沁旗耶律羽之墓出土。

高3.5、口徑15.9厘米。

盤呈五曲花瓣形。內沿鏨刻牡丹紋，腹飾寶相蓮瓣紋，盤內底飾雙鳳飛舞，周飾蓮枝花卉紋。圈足鏨刻一周寶相蓮瓣紋。

現藏內蒙古文物考古研究所。

## 鎏金捲草紋銀盤

遼

內蒙古阿魯科爾沁旗耶律羽之墓出土。

高3.5、口徑18.4厘米。

平底，圈足外撇，沿面刻一周花鳥紋，盤底中心刻纏枝捲草紋，內底外緣及圈足底邊刻寶相蓮瓣紋。

現藏內蒙古文物考古研究所。

## 鎏金對雁團花紋銀渣斗

遼

內蒙古阿魯科爾沁旗耶律羽之墓出土。

高14、口徑18厘米。

盤口邊沿鏨刻一周三葉花，盤面爲四組團花，盤底飾一周寶相蓮瓣紋，器腹部鏨刻四組對雁團花。

現藏內蒙古博物院。

**鎏金鴛鴦團花紋銀渣斗**

遼

內蒙古阿魯科爾沁旗耶律羽之墓
出土。

高13.8、口徑15.4厘米。

盤口沿內鏨花鎏金，腹部等距離
飾四組鴛鴦捲草鎏金紋飾。

現藏內蒙古文物考古研究所。

鎏金鴛鴦團花紋銀渣斗盤口面

鎏金龍紋"萬歲臺"銀硯盒
遼
內蒙古阿魯科爾沁旗耶律羽之墓出土。
高6.3、長18.2、寬11-13厘米。
采用金花工藝施紋，蓋正面下端鏨刻波濤，中刻一龍，
三枝蓮花環繞龍身，其中一枝銜于龍嘴中，龍頭花蕊上
刻"萬歲臺"，蓋及身四周刻捲草紋。
現藏內蒙古文物考古研究所。

## 魚鱗紋銀壺

遼

內蒙古赤峰市大營子遼駙馬墓出土。

通高10.2、鏈長41厘米。

矮體，短流，附鏈弓狀提梁，壺身遍飾魚鱗紋，腹部中間飾弦紋。

現藏中國國家博物館。

## 花葉紋銀盞托

遼

內蒙古赤峰市大營子遼駙馬墓出土。

高7.8、口徑8.8厘米。

由托杯、托盤和高圈足三部分組成。盞托上鏨刻花葉紋，邊飾羽狀紋。

現藏內蒙古博物院。

## 鎏金鹿紋銀座鞦

遼

內蒙古赤峰市大營子遼駙馬墓出土。

"丁"字形帶飾長9.2、寬5.9厘米，六邊形帶飾長4.5、寬2.6厘米，圭形帶飾長5、寬2厘米。

鈑金成型，紋飾隱起，主體圖案爲鹿銜草紋，"丁"字形帶飾中間凸起團花。

現藏內蒙古文物考古研究所。

**鎏金雙面人頭形銀飾**

遼

內蒙古赤峰市大營子遼駙馬墓出土。

高8.2厘米。

銀飾件上飾雙面人頭，下連梯形六面體，六面體每面均
鏨牡丹紋。

現藏內蒙古博物院。

鎏金牡丹紋銀鞍飾

遼

內蒙古科爾沁右翼中旗代欽塔拉遼墓出土。

錘鍱成型。由前後鞍橋、半月形飾和葉形飾組成。前、後橋呈弓形，凸面，正面錘鏨十三朵纏枝牡丹，上端錘鏨蓮紋、花瓣紋和魚子紋，下端鏨刻花卉和水波紋。半月形飾正面鏨刻纏枝牡丹紋，分上下兩層，每層有三朵牡丹花，中間以連索紋相隔，底部飾羽狀紋。葉形飾正面鏨刻纏枝牡丹紋和羽狀紋，上有五個桃形穿孔。

現藏內蒙古自治區興安盟文物工作站。

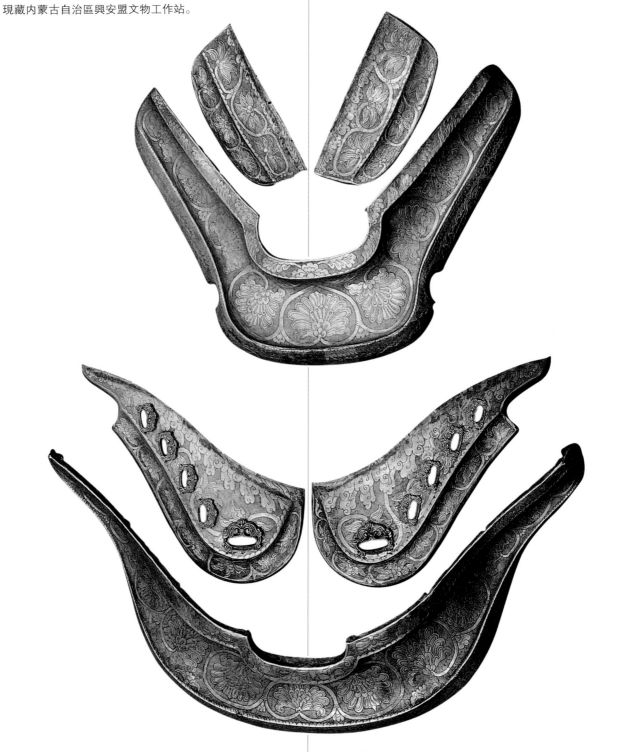

鎏金龍紋銀腰飾
遼
遼寧建平縣張家營子遼
墓出土。
高19厘米。
錘鍱成型，外形似冠，
表面以細密的捲草紋爲
地，高浮雕二龍戲珠圖
案，雙龍身姿矯健、動
感十足，兩端有長條形
穿孔，可以繫絲帶。
現藏遼寧省博物館。

鎏金龍紋銀腰飾側面

遼北宋西夏金南宋（公元九一六年至公元一二七九年）

## 鳳形金耳飾

遼

遼寧建平縣張家營子遼墓出土。

高5.6、寬4.7厘米。

耳飾由兩片模壓金片對合而成，內體中空，鳳作展翅飛翔狀，口部和足下飾雲紋。

現藏遼寧省博物館。

## 金面具

遼

內蒙古奈曼旗遼陳國公主與駙馬合葬墓出土。

面長20.5、寬17.2厘米，耳長7.6、寬3厘米。

爲陳國公主所戴。呈半浮雕形，雙眼圓睜，面露安詳之態，沿臉部周圍有三十三個小穿孔，作爲連綴頭部網絡之用。

現藏內蒙古文物考古研究所。

### 銀絲頭網金面具

遼

內蒙古奈曼旗遼陳國公主與駙馬合葬墓出土。

面長21.7、寬18.8厘米，耳長7.8、寬4厘米。

爲陳國公主駙馬所戴。呈半浮雕形，面部流露剛毅之態，雙耳與面部鉚接，臉部周圍有二十六個小穿孔，作爲連綴頭部網絡之用。

現藏內蒙古文物考古研究所。

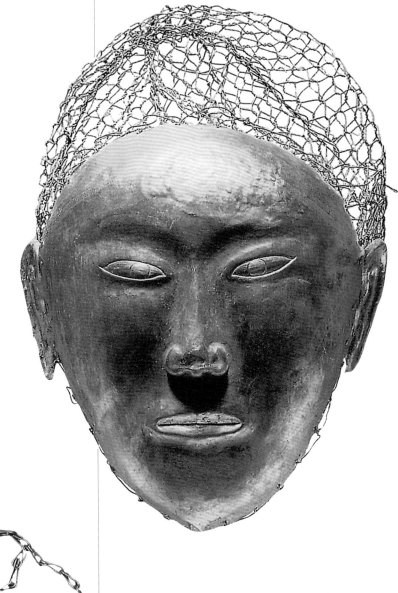

### 鏤花金荷包

遼

內蒙古奈曼旗遼陳國公主與駙馬合葬墓出土。

長13.4、寬7.8厘米。

包身後片上部鑽兩小孔，用以穿繫金鏈，包前片正中靠下有一個金絲小鈎，正好與蓋面正中綴連的金絲小環相勾挂，蓋面與包身均飾纏枝忍冬紋。

現藏內蒙古文物考古研究所。

八曲連弧形金盒盒底

## 八曲連弧形金盒

遼

內蒙古奈曼旗遼陳國公主與駙馬合葬墓出土。

高1.7、直徑5.5、鏈長4.5厘米。

盒面飾半浮雕的鴛鴦圖案，盒底鏨刻雙鶴，蓋與盒的外側焊接兩對對稱的金鈕，用以穿金鏈。在盒下端的一個金鈕旁又焊一小金鈕，用以連接帶鏈的插栓。

現藏內蒙古文物考古研究所。

## 鏨花金針筒

遼

內蒙古奈曼旗遼陳國公主與駙馬合葬墓出土。

筒長11.7、直徑1.2、鏈長8厘米。

用打製成長方形的金片捲曲焊接而成。蓋身是一個小圓筒，可插入針筒內，筒口兩側及蓋頂各有一小鈕，用以穿繫金鏈。蓋頂鏨刻蓮瓣紋，筒身通飾纏枝忍冬花紋。

現藏內蒙古文物考古研究所。

## 雙龍紋金鐲

遼

內蒙古奈曼旗遼陳國公主與駙馬合葬墓出土。

徑5.5–7.7厘米。

鐲體寬扁，鐲面鏨刻相互纏繞的雙龍。

現藏內蒙古文物考古研究所。

## 金帶銙

遼

內蒙古奈曼旗遼陳國公主與駙馬合葬墓出土。

長10.2、寬6.2厘米。

銙呈圭形，四邊有凸棱，正面鏨刻行龍，周圍鏨刻海水
江牙和雲紋。

現藏內蒙古文物考古研究所。

### 鎏金龍戲珠紋銀盒

遼

內蒙古奈曼旗遼陳國公主與駙馬合葬墓出土。

通高21、口徑25.2厘米。

蓋面平直，子母口，有圈足。子口是用一塊長條寬帶形
薄銀片捲曲而成，圈足另行焊接，蓋頂飾行龍戲珠紋。
現藏內蒙古文物考古研究所。

鎏金龍戲珠紋銀盒頂面

## 鎏金雙鳳紋銀枕

遼

內蒙古奈曼旗遼陳國公主與駙馬合葬墓出土。

通高13.2厘米，枕面寬40.8、長30厘米。

由枕面和底座組成，枕面上緣呈連弧形，下緣平直，底座箕狀，焊于枕面底部，枕面鏨刻對鳳紋。

現藏內蒙古文物考古研究所。

## 鎏金雲鳳紋銀靴

遼

內蒙古奈曼旗遼陳國公主與駙馬合葬墓出土。

高37.5、底長29.2、口寬10.2、底寬7.6–9.6厘米。

由靴靿、靴面和靴底三部分組成，連接處用細銀絲綴合，靴面用一塊銀片製做，後跟合縫是焊接的，靴靿兩側及靴面兩側鏨飛鳳及變形雲紋。

現藏內蒙古文物考古研究所。

### 鎏金雙鳳紋銀靴

遼

內蒙古奈曼旗遼陳國公主與駙馬合葬墓出土。

高34.6、底長30.4、口寬7.2、底寬6-8.8厘米。

由靴靿、靴面和靴底三部分縫綴而成，靴靿兩側及靴面
鏨飛鳳及如意雲紋。

現藏內蒙古文物考古研究所。

## 鎏金銀冠

遼

內蒙古奈曼旗遼陳國公主與駙馬合葬墓出土。

通高31.5、寬31.4、箍口徑19.5厘米。

冠由十六片鎏金銀片重疊組合，銀片之間用細銀絲連綴，箍口用一條長銀片對折而成，冠正面中間部位飾有對鳳，周圍綴以圓形冠飾二十二件，繞冠下部一周鏨刻人物、對鳥、飛鳳等紋式。

現藏內蒙古文物考古研究所。

### 銀執壺

遼

內蒙古奈曼旗遼陳國公主與駙
馬合葬墓出土。

通高10厘米。

直口，鼓腹，圈足。以銀鏈將
壺把與壺蓋相連。

現藏內蒙古文物考古研究所。

### 鎏金花鳥鏤空銀冠

遼

內蒙古奈曼旗遼陳國公主與駙馬合葬
墓出土。

通高30厘米。

由鏤空薄銀片鑲嵌組合并用細銀絲縫
綴加固而成，兩側有立翅，冠正面鏨
刻飛鳳，立翅邊緣和冠箍外側周圍鏨
刻捲草紋。

現藏內蒙古文物考古研究所。

**鎏金銀面具**

遼

北京房山區出土。

高31厘米。

爲女性所佩，是迄今發現的唯一帶
脖頸的面具。面頰豐滿，雙目微
閉，耳部有穿孔。

現藏首都博物館。

**銀面具**

遼

河北平泉縣哨鹿溝出土。

高21.9、寬21.7厘米。

爲男性所佩，錘鍱成型，雙目緊閉，
耳部有穿孔，用剔刻手法刻畫眉毛和
鬍鬚。

現藏河北省文物研究所。

## 鎏金童子紋銀大帶

遼

遼寧朝陽市前窗户村遼墓出土。

最長13.7、寬6厘米。

單帶扣單鉈尾形制，鈑金成型，
起立緣，銙面及鉈尾上皆飾高浮
雕童子嬉戲圖，背後均有鉚釘，
連于銅托，中夾革帶。

現藏遼寧省朝陽市博物館。

## 金舍利塔

遼

遼寧朝陽市北塔天宮發現。

高11厘米。

亭閣式單層金塔。塔頂由蓮花
座托寶珠構成；塔身四面鏨刻
佛像，周有圍欄；塔基由三層
臺階加單層蓮花瓣組成。塔內
裝有盛放佛骨舍利和鎏金珍珠
的瑪瑙瓶。

現藏遼寧省文物考古研究所。

### 金銀經塔

遼

遼寧朝陽市北塔天宮發現。

高39厘米。

分爐盤、蓮座、塔身、頂蓋四部分。爐
盤銅質，盤上有蓋，爐蓋上蓮座內置
一八瓣金蓮。塔身爲四重圓筒相套，從
外至內，一、三重爲金筒，二、四重爲
銀筒。塔身內裝經卷，刻在銀片上。頂
蓋爲金片錘鍱而成，鑲嵌珍珠。

現藏遼寧省朝陽市北塔文物管理所。

## 鎏金銀塔

遼

遼寧朝陽市北塔天宮發現。

通高62厘米。

三重樓閣式塔，塔刹較高，有銀鏈與塔頂相連，二、三層塔身基部有蓮瓣裝飾，塔身刻佛像及梵文六字真言，一層塔簷下籠罩銀絲網。

現藏遼寧省文物考古研究所。

## 金塔

遼

遼寧阜新蒙古族自治縣紅帽子村遼塔地宮出土。

通高25、塔簷徑10厘米。

此塔爲分鑄套接而成，須彌塔座，圓筒形塔身，以一壺門樣的高龕作正面，周圍鏨一周文字，分別爲佛家偈語、造塔願文及法舍利真言，塔刹上垂挂多串金片飾。

現藏遼寧省博物館。

遼北宋西夏金南宋（公元九一六年至公元一二七九年）

## 鎏金鳳銜珠銀舍利塔

遼

內蒙古巴林右旗遼慶州釋迦佛舍利塔塔剎相輪橖發現。
高40.5厘米。

塔頂以蓮臺作剎座，上置覆鉢、寶珠，剎杆上置三層華
蓋，頂端立一鳳鳥，口銜瓔珞。覆蓮座上有六邊形勾
欄，塔身正面闢門。塔座前嵌一持杖托鉢鎏金人物。
現藏內蒙古自治區巴林右旗博物館。

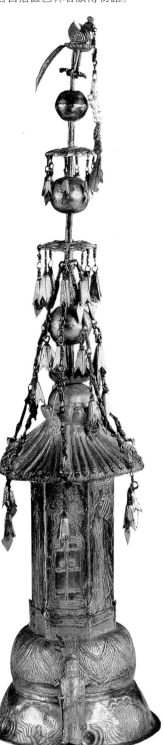

## 鎏金銀面具

遼

遼寧凌源市喇嘛溝1號墓出土。

錘鍱成型，前額突出，長眉細目，高顴骨，具有典型游
牧民族特點，面具周緣開許多小圓孔，用以穿繫。
現藏遼寧省凌源市博物館。

241

遼北宋西夏金南宋（公元九一六年至公元一二七九年）

**柳斗形銀杯**

遼

內蒙古巴林右旗白音汗出土。

高5.6、口徑10.4厘米。

杯呈柳斗形，外壁紋飾似蓮花。

現藏內蒙古博物院。

**仰蓮紋銀杯**

遼

內蒙古巴林右旗白音汗出土。

高6.4、口徑9.6厘米。

杯外壁飾三層紋飾，第一層爲荷葉紋，第二層爲圓點捲雲紋，第三層爲仰蓮紋。圈足上亦飾花紋。

現藏內蒙古博物院。

## 八棱鏨花銀執壺
遼

內蒙古巴林右旗白音汗出土。

通高25厘米。

壺蓋、身及圈足皆作八棱形,肩部一側焊接竹節狀長流,另一側鉚接扁竹節狀長彎柄,壺身每面均鏨刻牡丹和變形纏枝紋。

現藏內蒙古博物院。

## 荷葉敞口銀碗

遼

内蒙古巴林右旗白音汗出土。

高3.8、口徑10厘米。

五曲葵瓣形口，内底錘一朵隱起的五出團花，内外壁皆
以葉脉紋爲裝飾。

現藏内蒙古博物院。

荷葉敞口銀碗内底

## 八棱鏨花銀碗

遼

內蒙古巴林右旗白音汗出土。

高11、口徑17.3厘米。

碗壁作八棱形，在折腹外分上下兩層，通體鏨牡丹蓮瓣紋。

現藏內蒙古博物院。

## 銀香爐

遼

內蒙古寧城縣頭道營子鄉埋王溝墓葬出土。

通長36.5厘米。

造型如一束蓮花。

現藏內蒙古文物考古研究所。

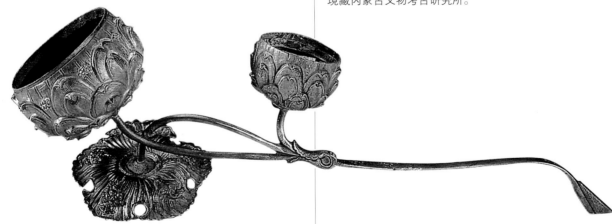

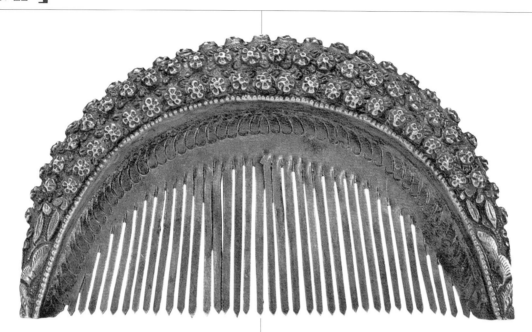

**鎏金銀櫛**

遼

河北易縣大北城窖藏出土。

長11、寬6厘米。

半月形，櫛背兩側各雕兩圈小梅花形裝飾，近底處有花葉襯托。

現藏河北省博物館。

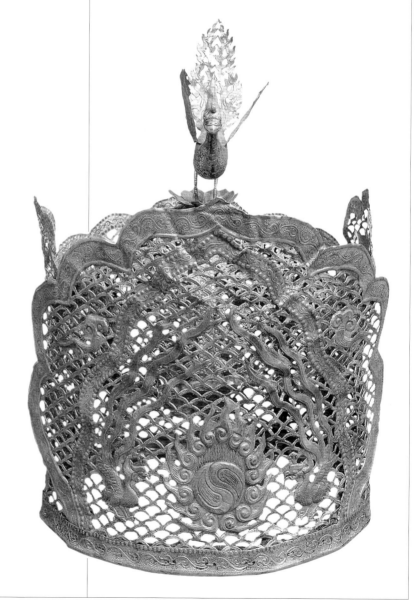

**鎏金銀冠**

遼

傳出于内蒙古翁牛特旗。

高39.5厘米。

冠體用四片鏤空網狀花瓣形銀片捲成筒形，上覆穹廬形帽頂。銀片邊緣細窄條上爲聯珠紋間纏枝紋，其餘部分鏤空成魚鱗狀網狀紋。冠正面鏨刻摩羯寶珠，兩旁爲鳳鳥和靈芝狀雲朵。冠側銀片上鏨刻折枝菊花、蓮花和如意雲頭等圖案。冠頂仰蓮中心立一金翅鳥。

現藏甘肅省博物館。

# 銀棺

遼

長16、高12.5厘米。

三層臺座，臺座飾纏枝花紋。棺前部裝飾華麗。

現藏陝西歷史博物館。

### 金舍利棺

北宋

河北定州市靜志寺舍利塔塔基出土。

高4.5、長7.6、寬3.6厘米。

棺蓋飾唐草紋，棺身首端爲門形，尾端飾一對佛足，棺身兩側飾僧人形象。

現藏河北省定州市博物館。

金舍利棺另一側面

## 鎏金銀槨

北宋

河北定州市静志寺舍利塔塔基出土。

高7.5-11.5、長14.3厘米。

槨有臺座，臺座上立欄杆。槨身兩側分別飾雲氣龍紋和
雲氣虎紋，槨身首端飾門形，尾端和槨蓋無紋飾。

現藏河北省定州市博物館。

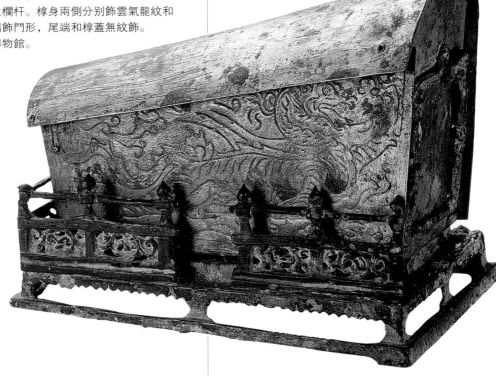

## 鎏金銀杯座

北宋

河北定州市静志寺舍利塔塔基
出土。

直徑15.4厘米。

中央凹下部分中心爲五瓣花，五隻
蛾羽翅相接組成圓形環繞花朵。寬
緣部分飾如意捲雲紋，外沿飾雲
紋。黑漆塗地，紋樣鎏金。

現藏河北省定州市博物館。

### 銀熏爐

北宋

河北定州市靜志寺舍利塔塔基出土。

高25.5、口徑19厘米。

蓋頂部飾鳳鳥紋，下部刻銘一周，計八十七字，記北宋
太平興國二年（公元977年）佛門弟子爲遷葬佛舍利造
此器。腹部有獸面紋鋪首銜環。

現藏河北省定州市博物館。

## 鎏金銀净瓶及銀簪

北宋

河北定州市静志寺舍利塔塔基出土。

净瓶高26.8厘米，簪長18.3厘米。

注口有蓋，瓶口插銀簪，頸部有輪狀凸起，沿部刻銘。

瓶身肩部和近底部飾雙重蓮瓣紋。

現藏河北省定州市博物館。

## 鎏金寶相花紋銀盒

北宋

河北定州市静志寺舍利塔塔基出土。

直徑14.1厘米。

蓋頂部中央刻一以十六瓣花瓣組成的大花朵，花朵周圍環繞三十九片花瓣，最外層再環繞一圈蓮葉。花和蓮葉均鎏金。

現藏河北省定州市博物館。

### 鎏金銀六角塔

北宋

河北定州市静志寺舍利塔塔基出土。

高35.5厘米。

塔爲六角二層，部分鎏金。座基飾一圈蓮瓣，塔座纏繞一龍。下層塔身下部繞欄杆，正面爲飾乳釘二扇門，其它五面飾僧人形象。門兩側立圭形銀牌，牌上分別刻銘"善心寺"和"舍利塔"。塔檐垂風鐸。上層塔身下部繞欄杆，正面開小龕，置一坐姿菩薩，其它五面刻立菩薩，塔身纏繞二龍。塔檐飾寶珠。塔刹下部爲覆蓮，上爲相輪，相輪上立一柱，柱飾鰭狀物和葉狀物，柱頂飾寶珠。

現藏河北省定州市博物館。

鎏金銀六角塔背面

遼北宋西夏金南宋（公元九一六年至公元一二七九年）

### 鎏金銀六角塔

北宋

河北定州市静志寺舍利塔塔基出土。

高26厘米。

塔由塔座、塔身、塔頂和塔刹組成。塔座六面均飾一鴨并鎸銘文。塔身周圍繞欄杆，塔身正面爲兩扇門，門兩側立着甲冑武士。塔頂六角垂風鈴。塔刹爲蓮瓣托蓮蕾。

現藏河北省定州市博物館。

## 金棺銀椁

北宋

河南鄧州市福勝寺塔地宮出土。

棺高13、長19厘米，椁高34、長40厘米。

棺椁四周陰刻有佛像。

現藏河南博物院。

遼北宋西夏金南宋（公元九一六年至公元一二七九年）

### 金棺銀椁

北宋

陝西武功縣報本寺塔地宮出土。

棺長17.8、椁長27.2厘米。

椁身部分鎏金，飾佛像；棺身飾捲草紋。

現藏陝西省武功縣文物管理委員會。

## 金銀舍利塔

北宋

陝西白水縣妙覺寺地宮出土。

高45厘米。

塔由底座、二層塔身和寶珠塔頂組成。

現藏陝西省白水縣文物管理委員會。

## 鳳鳥紋金帔墜

北宋

江蘇南京市幕府山北宋墓出土。

高8.5、寬5.7厘米。

金墜由兩瓣組成，可以開合，兩面鏤刻複雜的鳳鳥花草紋飾，頂部有孔以便穿繫。

現藏南京博物院。

## 銀椁
北宋

江蘇句容市崇明寺大聖塔地宮出土。

通長25、寬15厘米。

盝頂形蓋，長方形椁身，疊澀底座。蓋、身表面陰刻釋
迦苦行、降魔、轉法輪、涅槃等佛傳故事。

現藏南京博物院。

## 金舍利棺
北宋

安徽壽縣崇禪寺塔基地宮出土。

長10、高7.8厘米。

用金箔壓模扣合而成，棺前置假門，蓋及棺身兩側飾折
枝牡丹，繞蓋一周飾聯珠紋，金棺底部壓印"重佛舍
利"四字。

現藏安徽省博物館。

## 鎏金銀塗塔

北宋

浙江安吉縣安城村靈芝塔天宮發現。

高27厘米。

塔由底座、塔身、山花蕉葉、塔剎四部分構成。塔剎五重相輪，頂部呈蓮花狀。山花蕉葉部分飾佛傳故事。塔身最上層爲花枝聯珠紋及佛像，四面龕內鏤刻佛祖本生故事，四角各有一金翅鳥。須彌座上飾蓮花佛像。底部四邊刻數十字銘文，其中有"慶曆七年歲次四月"等字，慶曆七年爲公元1047年。

現藏浙江省安吉縣博物館。

## 銀塔

北宋

浙江瑞安市仙岩慧光塔出土。

高34.8厘米。

方形樓閣式塔，分塔剎、塔身和塔基三部分。塔剎由多層相輪、寶珠組合而成；塔身分七層，每層內都刻有佛像或力士像；塔基爲須彌座，座底鏨刻"景祐二年九月二十六日"、"乙亥歲記"等銘文，景祐二年爲公元1035年。

現藏浙江省博物館。

### 鎏金銀舍利瓶

北宋

浙江瑞安市仙岩慧光塔出土。

高10.3厘米。

分爲龕、瓶、座三部分。座頂面邊緣刻銘二十四字，龕内舍利瓶正面刻銘八字，龕正面開一門，背面與左右兩側錘鍱三個開光，内飾鳳鳥花草紋。

現藏浙江省博物館。

### 舍利盒

北宋

浙江台州市黄岩區靈石寺塔第四層北天宫内發現。

金盒高4.5、口徑4.9厘米，銀盒高5.4、口徑7.4厘米，銅盒高9、口徑10.8厘米。

金銀銅三件套。金盒爲錘鍱成型，蓋頂刻銘文"許仁德并妻應二十一娘男從政等捨金盒半兩"。銀盒蓋頂鏨蓮花，花紋鎏金，繞蓮一周刻銘文"許仁德爲在父母捨清財造置舍利盒一枚重一兩半永充供養丙寅八月日"。

現藏浙江省台州市博物館。

## 蓮花形金盞托
西夏

內蒙古巴彥淖爾市臨河區高油房西夏古城遺址出土。
托高4.5、直徑12厘米，碗高3.5、口徑10.6厘米。
盞、托盤、圓足皆成蓮瓣形，盞口外側、托盤口沿內
底及圈足外緣飾一周纏枝花草，碗呈十曲花瓣形，內
底飾鳳紋，內口沿飾纏枝花卉紋。
現藏內蒙古博物院。

## 鏨花金碗

西夏

内蒙古巴彦淖爾市臨河區高油房西夏古城遺址出土。
高3.5、口徑10.6厘米。
碗内壁鏨刻團鳳紋。
現藏内蒙古博物院。

## 桃形鑲寶石金冠飾

西夏

内蒙古巴彦淖爾市臨河區高油房西夏古城遺址出土。
高3.2-7.1厘米。
此組冠飾均呈桃形。有立體桃形和片狀之分。立體桃形
上飾聯珠紋和花卉紋，片狀飾較小，四周有花瓣裝飾。
冠飾上鑲嵌寶石，大多已脱落。
現藏内蒙古博物院。

## 鏤空人物紋金耳墜

西夏

內蒙古巴彥淖爾市臨河區高油
房西夏古城遺址出土。

高4.2厘米。

每墜正面雕刻三尊造像，中間一
尊爲坐佛，兩旁站立二菩薩，腳
踩蓮花，背連一長彎鉤。

現藏內蒙古博物院。

## 荔枝紋金牌飾

西夏

寧夏銀川市西夏陵區6號陵出土。

長5、寬2.1厘米。

牌飾呈長方形。四周出凸棱爲邊框，正面飾三組荔枝果
及荔枝葉紋，底襯圓點紋。背面左右各有一橫穿孔。

現藏寧夏博物館。

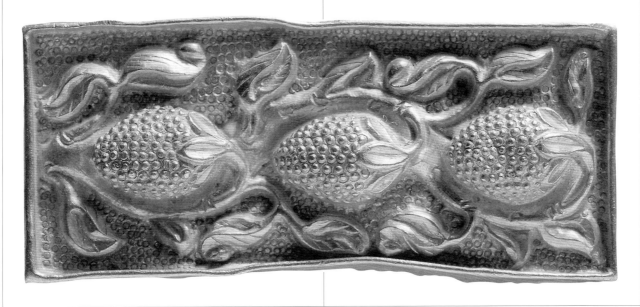

## 金指剔

西夏

内蒙古巴彥淖爾市臨河區高油房西夏古城遺址出土。

長8厘米。

指剔柄部主體造型爲雙魚，兩魚相對，魚的上下飾仰蓮、聯珠和瓜棱等紋飾。下接雙面斜刃指剔。

現藏内蒙古博物院。

## 寶相花高足金杯

金

北京西城區月壇南街金代窖藏出土。

高15.6、口徑9.3、底徑6.2厘米。

直口，弧腹，喇叭狀高足。口沿外緣及圈足外緣飾一周捲草紋及兩道弦紋，腹部鏨刻等距離的寶相花圖案。

現藏首都博物館。

## 金步摇

金

陝西西安市臨潼區北河村窖藏出土。

長22.2厘米。

頂端飾一口銜綬帶的飛鳳，下端分成兩股。

現藏陝西省西安市臨潼區博物館。

## 金盤

金

北京西城區月壇南街金代窖藏出土。

口徑22.5厘米。

盤心鏨刻菱形紋，周圍爲壽桃紋飾。

現藏首都博物館。

### 銀舍利棺

金

河北廊坊市出土。

棺長26.4、寬16.3、高15.8厘米。

棺座爲束腰式，腰上四角有承重力士。座上置棺，棺身正背面飾花卉紋，側面飾伎樂和天王。棺蓋飾纏枝牡丹紋和龍鳳紋。棺蓋內側有"嚴村寶嚴寺西史毛賈三村邑從等共辦化舍利櫃一所天會十二年五月一日永記"銘文，天會十二年爲公元1134年。

現藏河北省文物研究所。

## 八卦紋銀杯

南宋

浙江衢州市市郊瓜園村史繩祖墓出土。

高6、口徑8.7厘米。

由內外兩層銀片合成，內層底部鏨刻金、木、水、火、土五行圖案，外壁腹部錘鍱八卦圖象。

現藏浙江省衢州市文物管理委員會。

## 銀絲盒

南宋

浙江衢州市市郊瓜園村史繩祖墓出土。

高2.5、直徑7.5厘米。

由外層銀絲和內層銀盒組成。盒蓋面上飾以精緻的六角菱花，蓋與身以子母口相套合。出土時內盛一金娃娃。

現藏浙江省衢州市文物管理委員會。

**金鏈飾**

南宋

浙江杭州市浙江大學出土。

金環上套一金絲編鏈索，鏈端懸一蹲踞狀獅子墜飾，獅子背面烙印"趙九郎正"四字。

現藏浙江省文物考古研究所。

**鎏金瑞果圖銀盤**

南宋

江蘇溧陽市小平橋宋窖藏出土。

高1.4、口徑16.5厘米。

盤內以錘鍱手法高浮雕佛手、石榴、香橼和荔枝等水果。

現藏江蘇省鎮江博物館。

## 乳釘獅紋鎏金銀盞

南宋

江蘇溧陽市小平橋宋窖藏出土。

高4.6、口徑8–9.6厘米。

盞壁爲夾層，内壁口沿處飾一周捲草紋，外壁紋飾分成
四個單元，每一單元内以旋渦紋爲地并飾五顆乳釘紋，
内底鏨獅戲綉球圖案。外底刻有"李四郎匕"款識。

現藏江蘇省鎮江博物館。

## 雙龍金帔墜

南宋

安徽宣城市西郊窖場出土。

長7.8厘米。

墜呈桃形，分做兩半，可以開合，正反
兩面鏤刻首尾相對的雙龍紋。頂端有孔
以便穿繫。

現藏安徽省博物館。

## 銀童子花卉托杯

南宋

安徽六安市嵩寮岩出土。

通高7、杯口徑8.5、盤口徑18.3厘米。

杯底鏨花瓣形紋，中間焊一盤坐男童。外壁錘鍱凸起花卉圖案，兩女童作爲銀環雙耳。托盤口沿處鏨捲草紋，盤心鏨一朵牡丹，四周爲凸起的童子花卉圖案。

現藏安徽省六安市文物管理所。

## 笓斗式荷葉蓋銀罐

南宋

安徽六安市花石嘴村出土。

高4.5厘米。

荷葉形蓋，莖狀鈕。蓋沿飾縱橫交錯的綫紋，器身飾編織的柳條狀紋飾。

現藏安徽省博物館。

## 六棱金杯和金盞

南宋

安徽休寧縣朱晞顏墓出土。

杯高5.5、口徑9.1厘米，盞高1.6、口徑17.6厘米。

杯和盞皆作六棱形，杯心刻三朵菱花穿環紋，盞底外周飾菱形方格紋，盞心飾六組雙綫編穿的如意紋，寓六合如意。

現藏安徽省博物館。

## 葵花形金盞

南宋

安徽休寧縣朱晞顏墓出土。

高5、口徑10.6厘米。

碗壁由六瓣花瓣相叠而成，沿花瓣邊緣飾一周秋葵花紋，碗心有一金花蕊，周圍襯托六片花葉。

現藏安徽省博物館。

**鎏金人物詩詞銀盤**

南宋

高2厘米，口徑長19、寬14.5厘米。

口沿及斜腹壁爲四曲菱花形，盤內底中央爲凸起的菱花經窗，窗內鏨刻《踏莎行》詞一首，窗外四周飾人物。

現藏江西省博物館。

**魚戲蓮紋銀盤**

南宋

江西樂安縣界溪鎮出土。

高2.2、口徑11.9厘米。

盤內底飾游魚和蓮花。

現藏江西省博物館。

**花鳥紋八曲銀盤**

南宋

江西星子縣陸家山出土。

高1.2、口徑14.2厘米。

口沿及斜腹壁錘鍱成八曲蓮瓣花形，盤沿和盤內底飾捲草、桃花和長尾鳥。

現藏江西省博物館。

**銀粉盒**

南宋

江西德安縣義峰羽絨廠出土。

高4、口徑7.3厘米。

外整體飾捲雲紋。

現藏江西省德安縣博物館。

遼北宋西夏金南宋（公元九一六年至公元一二七九年）

## 菊花形金碗

南宋

四川彭州市西大街出土。

高4.6、口徑10.2厘米。

碗底内心以凸圓點紋飾一圓形花蕊，蕊四周飾花瓣一周。近口沿處飾凹弦紋一周。足外壁刻銘"紹熙改元舜字號"七字，紹熙元年爲公元1190年。

現藏四川省彭州市博物館。

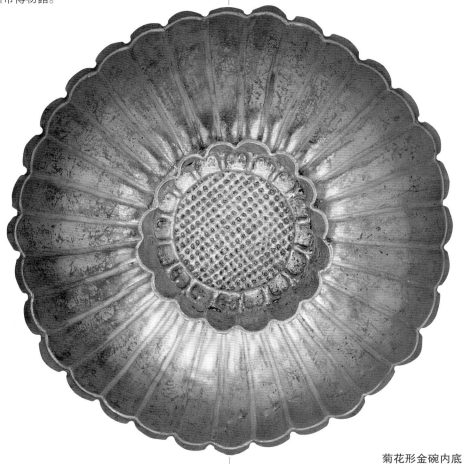

菊花形金碗内底

## 瓜形金盞

南宋

四川彭州市西大街出土。

高3.6、口徑10厘米。

金盞方唇，直口，斜腹，圜底。紋飾采用刻劃與鑿印相結合的技法。

現藏四川省彭州市博物館。

瓜形金盞外底

## 金簪

南宋

四川彭州市西大街出土。

長19.2、寬2.4厘米。

金簪呈片狀，方頭，頂略弧，向下漸收。簪頭近邊緣處飾一周聯珠紋，內飾牡丹纏枝花，襯以碎點紋地。簪身用碎點綫飾捲雲紋兩朵。

現藏四川省彭州市博物館。

## 空心金釵

南宋

四川彭州市西大街出土。

長21厘米。

金釵兩股，圓頭，細身，尖細小。係以金皮捲製成空心筒狀。釵頭用葵花形蓋相連，由上向下飾牡丹、蓮花、桃花等折枝花，釵頭與釵身間飾雙凸弦紋，弦紋下用小碎點紋連綫飾捲草紋。

現藏四川省彭州市博物館。

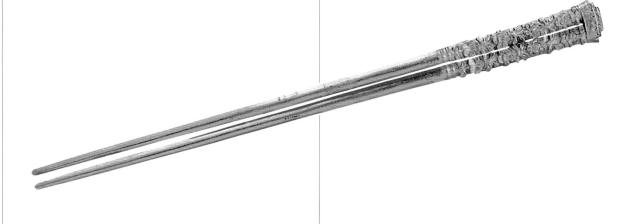

## 象蓋銀執壺

南宋

四川彭州市西大街出土。

通高31.6厘米。

器蓋分爲大象、蓮花直筒兩部分，分別錘鍱成形。器柄、流係成形後焊附于器身。小足部飾細弦紋兩道，其內飾捲草紋一周。大象及仰蓮錘鍱成立雕。龍紋、忍冬紋、蟬紋、獸頭紋錘鍱成淺浮雕效果。雲紋、蕉葉紋、團雲紋、足部忍冬紋、碎綫紋采用鏨花技法。温碗爲直口直腹，高圈足。碗腹部飾一周四組變體雙龍紋。

現藏四川省彭州市博物館。

### 蓮蓋折肩銀執壺

南宋

四川彭州市西大街出土。

通高32厘米。

執壺蓋鈕爲雙層蓮花形，蓋口呈直筒狀，上部焊兩小圓環。器身直口，折平肩微斜，下腹略鼓，下收成平餅足。碗爲六瓣葵口形，高圈足。

現藏四川省彭州市博物館。

## 鳳頭蓋銀執壺

南宋

四川彭州市西大街出土。

通高31厘米。

器口及底部飾一道弦紋。器口弦紋上的空白處有銘文四組，分別爲"官口"、"楠溪"、"裙銀"和"王家十分"。柄邊緣上凸，呈圓形，中間微鼓，其上飾纏枝花，與器身所飾紋飾相同。器身、器柄紋飾均採用鏨花技法，鳳頭紋飾採用錘鍱技法，僅羽毛上細部採用刻劃技法。鳳頭蓋中空，分爲頭、冠、羽毛及下部插筒等部分，分別成形後焊接成一體。器身分爲身、柄和底三部分，亦係成形後焊成一體。器物紋飾鎏金。溫碗侈口直腹，通體飾雙鳳紋和纏枝花紋。

現藏四川省彭州市博物館。

遼北宋西夏金南宋（公元九一六年至公元一二七九年）

### 鳳鳥紋銀梅瓶

南宋

四川彭州市西大街出土。

通高21.3厘米。

鳳鳥頭部較大，尖喙，圓冠，曲頸，長翎狀尾飾，作展翅飛翔狀。雲紋成團狀，內飾以小碎點紋，分布于鳳鳥之間。底刻銘文"周家十分"和"君謨置"。

現藏四川省彭州市博物館。

### 如意雲頭紋銀梅瓶

南宋

四川彭州市西大街出土。

通高19.9厘米。

梅瓶小口，翻唇，直頸略束，豐肩，斜直腹微弧，下斜收成小平底，底內凹。頸部以下滿身飾如意雲頭紋。近頸部留白，原有蓋。

現藏四川省彭州市博物館。

## 石榴花紋銀碗

南宋

四川彭州市西大街出土。

高4.6、口徑11.6厘米。

碗方唇，唇微內斂，直口，弧腹，餅足內凹形成假圈足，較高，足唇方平。口內沿飾一周捲草紋，葉頭較闊，襯以小碎點紋地。足外部飾一周雷紋。

現藏四川省彭州市博物館。

石榴花紋銀碗內底

遼北宋西夏金南宋（公元九一六年至公元一二七九年）

## 葵形銀盞

南宋

四川彭州市西大街出土。

高5.4、口徑12.5厘米。

盞體分成六瓣，每瓣相互叠壓。分瓣綫呈 "S" 狀彎曲直到腹底，在每瓣邊緣的幾何形帶狀區域内，分飾蓮花、葵花、梅花、牡丹花、石榴、桃花等六種不同的纏枝花，襯以小碎點紋地。底内中心飾六瓣團花一朵，花蕊高凸，中空。蕊下腹底爲柿形花瓣六瓣。足外壁下部飾弦紋一周，弦紋與足唇之間飾菱形紋一周。器内底團花鍍金。

現藏四川省彭州市博物館。

葵形銀盞内底

## 蓮花紋銀杯

南宋

四川彭州市西大街出土。

高6.9、口徑9.2厘米。

杯方唇，直口微斂，直腹，高圈
足。腹部錘擊成仰蓮狀，共四層，
瓣中凸。層與層之間相互錯位疊
壓，上下兩層蓮瓣較小，中間兩層
蓮瓣較大。在蓮瓣與口部之間的空
白處飾一周魚子紋，下滿飾刻劃而
成的碎綾紋。

現藏四川省彭州市博物館。

## 夾層蜥蜴紋銀杯

南宋

四川彭州市西大街出土。

高6.9、口徑8.6厘米。

口部飾一周雷紋，兩個一組。腹
中部滿飾捲雲紋，腹底部飾一周
團雲紋，呈雙層疊壓形雲頭上滿
飾碎綾紋。圈足直口上以小碎點
成綾鏨刻捲草紋一周。

現藏四川省彭州市博物館。

## 三足銀圓盤

南宋

四川彭州市西大街出土。

高3.6、口徑17.8厘米。

盤圓口，圓唇，微上凸，平折沿，斜直腹略弧，平底內凹。底部三足，接于底邊緣與腹相接處，足呈"V"形

片狀樹葉形，葉邊凹凸不平，呈三曲形，尖微外撇，刻劃成葉脉紋。折沿面上飾雷紋一周。底內飾忍冬花結組成的團花襯地。團花紋與葉脉紋采用錘鍱技法，使其微凸。雷紋采用鏨刻技法。

現藏四川省彭州市博物館。

三足銀圓盤內底

## 花口銀盤
南宋

四川彭州市西大街出土。

高1.8、口徑18.8厘米。

盤圓唇，口呈十曲葵口，每曲再分成七瓣小葵口。弧腹，曲形分瓣綫將其分成十瓣，且每瓣重叠，重叠處瓣邊上捲。底與器腹相同，瓣片較小。整器飾花形，盤底中心凸鼓，飾成圓形花蕊，蕊上凸飾圓珠紋，每珠周圍再用小凹點鏨飾一周，蕊周邊三花瓣相包，留出蕊部似一"人"字形。

現藏四川省彭州市博物館。

花口銀盤內底

## 十曲銀盤

南宋

四川彭州市西大街出土。

高1.8、口徑19.2厘米。

盤口呈十曲圓弧形，圓唇，平折沿，弧腹，大平底。
折沿面上飾弦紋兩道，內飾纏枝蓮花紋一圈，魚子紋
襯地。

現藏四川省彭州市博物館。

十曲銀盤內底

## 高圈足銀熏爐

南宋

四川彭州市西大街出土。

通高47.7厘米。

熏爐蓋呈圓帽形，束頸，闊肩，直腹，直口外凸，方唇。蓋有蓮花形鈕，上飾四層仰蓮瓣。仰蓮下接束頭，上飾雷紋一周。闊肩呈雙層臺階狀，上層飾闊葉花一周，下層飾捲草紋一周，均襯小碎點紋地。下有覆蓮雙層，錯位疊壓。器腹分成十瓣，均呈方形，中間豎直起一凸棱。

現藏四川省彭州市博物館。

## 盒式銀熏爐

南宋

四川彭州市西大街出土。

通高26.8厘米。

爐蓋弧頂，溜肩，直腹，直口。爐身子母口，喇叭形高圈足。爐蓋頂部飾雙鳳穿花紋及捲雲紋、折枝花紋，肩部飾兩層捲草紋及小團花形鏤孔，腹部滿飾折枝花紋，"八"字形弧綫内飾各種花瓣，下部飾一周蓮瓣紋，足部飾一周雷紋。

現藏四川省彭州市博物館。

## 樹葉形銀茶托

南宋

四川彭州市西大街出土。

高1.8、托徑4.3厘米。

托面爲橢圓餅形，内凹，托盤呈菱形，飾爲四葉形，相互叠壓，葉與葉之間有空隙。葉邊緣呈對稱多曲形，且爲凸棱，高于葉面；面用細綫飾葉脉紋，并采用散點式布局滿飾小碎點紋組，每組由三點組成，呈"品"字形排列。

現藏四川省彭州市博物館。

## 瓜棱形銀壺

南宋

四川彭州市西大街出土。

高24.5厘米。

翻唇，寬折沿，束頸，闊肩，腹呈十二瓜棱狀，下爲圈足。足外壁鏨刻"吉慶號"三字，器底亦淺刻"吉慶號"三字。

現藏四川省彭州市博物館。

遼北宋西夏金南宋（公元九一六年至公元一二七九年）

### 海獸紋銀盤

南宋

四川遂寧市出土。

高1.5、口徑17.5厘米。

盤心鏨刻一蓮蓬，周圍飾有龍、馬、龜、魚等圖案，底部刻款"周卿"二字。

現藏四川博物院。

### 菱花形銀盤

南宋

四川遂寧市出土。

高1.5、口徑17.2厘米。

盤爲六曲菱花形。口沿處鏨折枝花紋，內盤心鏨一朵菱形花，周圍環繞凸起弦紋，外圍亦飾折枝花草。

現藏四川博物院。

## 鏤空銀盒

南宋
四川德陽市孝泉鎮宋窖藏出土。
高4.6、口徑12.8厘米。
通體鏤空，蓋與身以子母口相套合，底部刻有"孝泉周
家打造"的款識。
現藏四川博物院。

## 蓮瓣雙鳳紋銀盒

南宋
四川德陽市孝泉鎮宋窖藏出土。
高5.5、口徑13.9厘米。
盒呈菊花形，蓋頂飾孔雀花草紋，側壁飾捲草紋。
現藏四川博物院。

## 芙蓉花瓣紋銀碗

南宋

四川安縣文星村出土。

高4.8、口徑9.1厘米。

整個器物造型似一朵盛開的芙蓉，碗壁由上下兩層花瓣交錯而成，圈足亦呈花瓣狀外撇，內底飾花蕊和三花瓣紋。

現藏四川博物院。

## 鎏金瓜形銀髮冠

南宋

福建福州市許峻墓出土。

長9.5厘米。

器身做瓜棱形，前端連有瓜蒂和枝葉，裏外鎏金。

現藏福建博物院。

**鎏金銀執壺**

南宋

福建福州市許峻墓出土。

高23.4厘米。

柱狀高鈕，扁長條形把手，器身通飾雙鷹組成的環狀鎏金紋飾。蓋、流、把手及圈足上亦皆飾鎏金花卉紋飾。現藏福建博物院。

## 鎏金銀盞

南宋

福建福州市許峻墓出土。

通高6、杯徑7.4、托徑13.6厘米。

盞作鉢形，托作蓮瓣形，圈足外撇，口沿、托邊緣及圈足底部皆鎏金。

現藏福建博物院。

## 鎏金雙鳳紋葵瓣式銀盒

南宋

福建福州市許峻墓出土。

直徑14厘米。

盒作葵花形，蓋面錘鎏金雙鳳圖案，側面飾鎏金捲草紋，盒內置一層屜板，出土時盒內放銅鏡一件。

現藏福建博物院。

## 捲雲紋銀粉盒

南宋

福建福州市許峻墓出土。

直徑5.8厘米。

上下對開式，通體飾捲雲紋，盒底鏨銘"張念七郎"四字，爲作者的名字。

現藏福建博物院。

## 鎏金銀八角杯

南宋

福建邵武市故縣村出土。

高5.5、口徑7.5-9.3厘米。

杯壁夾層，杯身與足皆作八棱形，杯心鏨有《踏莎行》詞一首，計十行六十一字，杯外壁八幅圖案分別表現詞意内容。

現藏福建博物院。

**鎏金銀八角盤**

南宋

福建邵武市故縣村出土。

高1、口徑長17.5、寬13.4厘米。

盤作長八角形，淺腹平底。盤底錘擊凸起的亭臺樓閣、龍鳳祥雲及人物圖案。

現藏福建博物院。

**鎏金銀摩羯**

南宋

廣西南丹縣附城村拉要屯虎形山出土。

高14.8、長34厘米。

錘鍱鉚焊成型，腹部和背部對接。

現藏廣西壯族自治區南丹縣文物管理所。

### 鏨花高足金杯

元

内蒙古達爾罕茂明安聯合旗大蘇吉鄉明水村出土。

高12.5、口徑10.8厘米。

敞口，直腹，喇叭形高圈足。口沿外側鏨一周纏枝捲草紋飾，腹部開光，内刻牡丹，圈足外緣飾一周蓮瓣紋。

現藏内蒙古博物院。

### 鎏耳金杯

元

内蒙古烏蘭察布市徵集。

高3.5、口徑8.9厘米。

口沿外側及鋬上鏨刻纏枝花草，鋬下附一環狀耳，作爲把手。

現藏内蒙古博物院。

## 花瓣式鋬耳金杯

元

内蒙古興和縣五股泉鄉五甲地墓葬出土。

高5、口徑11.8厘米。

器呈花瓣形，口沿外部及内底鏨纏枝牡丹，三曲花式鋬耳，其上刻捲草及牡丹紋，下附一小環。

現藏内蒙古博物院。

花瓣式鋬耳金杯内底

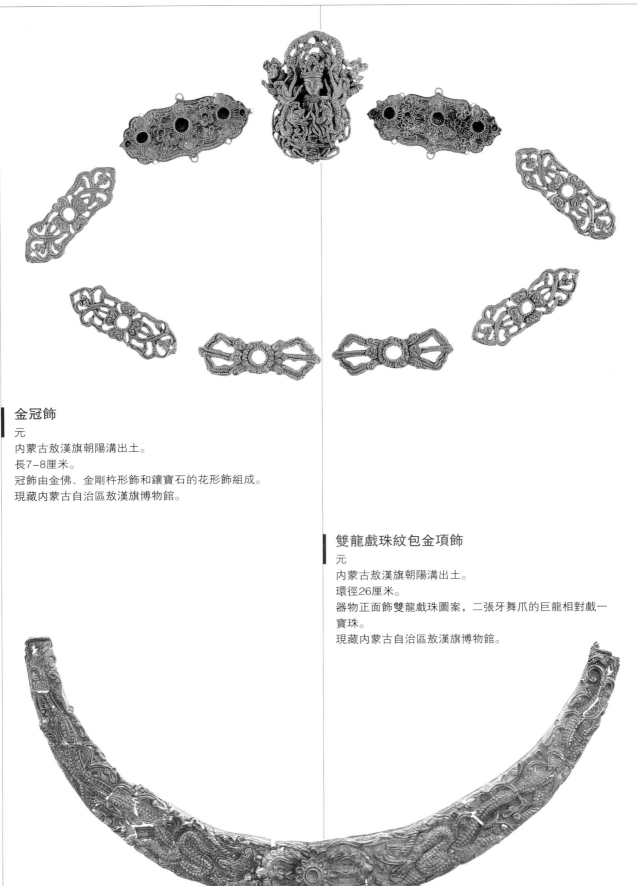

## 金冠飾

元

內蒙古敖漢旗朝陽溝出土。

長7-8厘米。

冠飾由金佛、金剛杵形飾和鑲寶石的花形飾組成。

現藏內蒙古自治區敖漢旗博物館。

## 雙龍戲珠紋包金項飾

元

內蒙古敖漢旗朝陽溝出土。

環徑26厘米。

器物正面飾雙龍戲珠圖案，二張牙舞爪的巨龍相對戲一寶珠。

現藏內蒙古自治區敖漢旗博物館。

元（公元一二七一年至公元一三六八年）

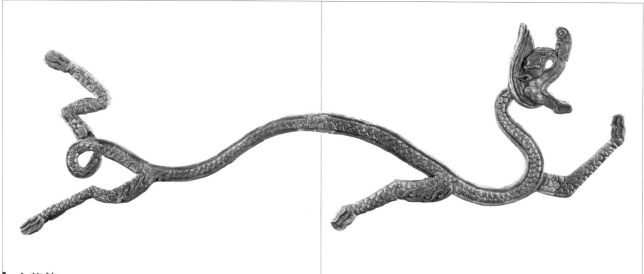

## 金龍飾

元

內蒙古敖漢旗朝陽溝出土。

龍身細長，昂首作騰飛狀。

現藏內蒙古自治區敖漢旗博物館。

## 迦陵頻伽金帽頂

元

內蒙古化德縣徵集。

高4.1、直徑4.5厘米。

帽頂呈半球狀，分上下兩層。上層相間鏨刻四迦陵頻伽和四菩薩，下層爲八大金剛形象。

現藏內蒙古自治區烏蘭察布市博物館。

## 龍紋金釵

元

內蒙古察哈爾右翼前旗出土。

長15.5厘米。

釵首鏤雕雙龍戲牡丹紋。

現藏內蒙古博物院。

## 牡丹紋金簪

元

內蒙古察哈爾右翼前旗出土。

長14.8厘米。

簪首呈圓形，刻牡丹花葉紋。

現藏內蒙古博物院。

## 金鞍飾

元

内蒙古鑲黄旗烏蘭溝出土。

前橋高20.8、寬23厘米，後橋高11、寬16厘米。

由前後鞍橋和前後鞍翅組成。前橋呈馬蹄形，正面中部爲四曲海棠形開光，内飾一隻卧鹿于花草叢中。後橋及鞍翅飾蓮瓣紋等。

現藏内蒙古博物院。

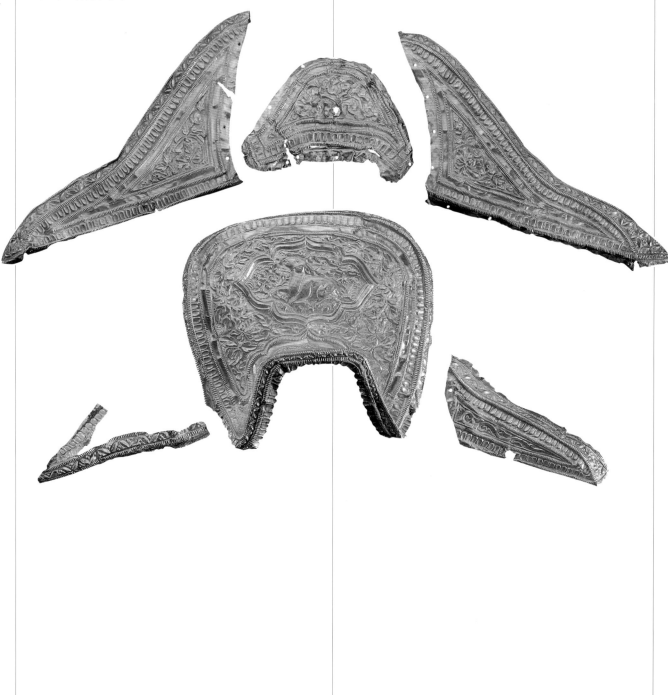

## 鎏金雙龍戲珠紋銀項圈

元

內蒙古奈曼旗葦蓮蘇窖藏出土。

直徑21厘米。

項圈表面浮雕相對的雙龍，作行龍狀，間以火焰寶珠。

現藏內蒙古自治區奈曼旗王府博物館。

## 龍首柄銀杯

元

內蒙古敖漢旗出土。

高3.5、口徑7厘米。

杯呈四瓣花形。口沿處飾聯珠紋，一側附一龍首柄，龍首下接一圓環。

現藏內蒙古自治區敖漢旗博物館。

**鎏金鏨花雙鳳穿花銀玉壺春瓶**
元
河南商水縣圍墙鎮圍墙村出土。
高30.4厘米。
瓶外通體鎏金，腹部鏨雙鳳穿花紋飾，外
底足內壓印"樊"字。
現藏故宮博物院。

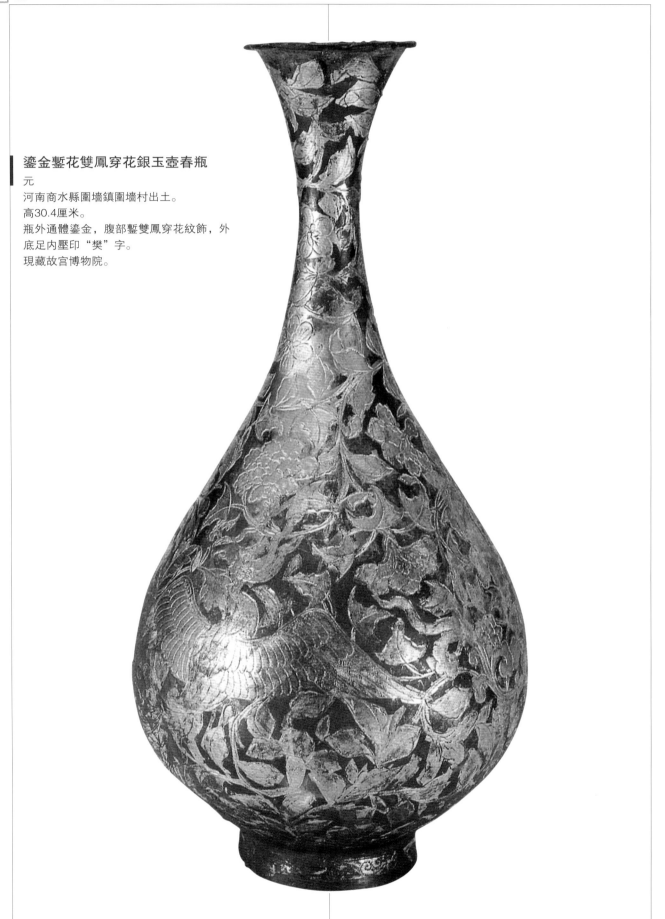

## 金蜻蜓頭飾

元

山西靈丘縣曲回寺村出土。

長7.7厘米。

蜻蜓的雙翅上透雕花卉紋，腹下留出兩條針柄。

現藏山西省靈丘縣文物局。

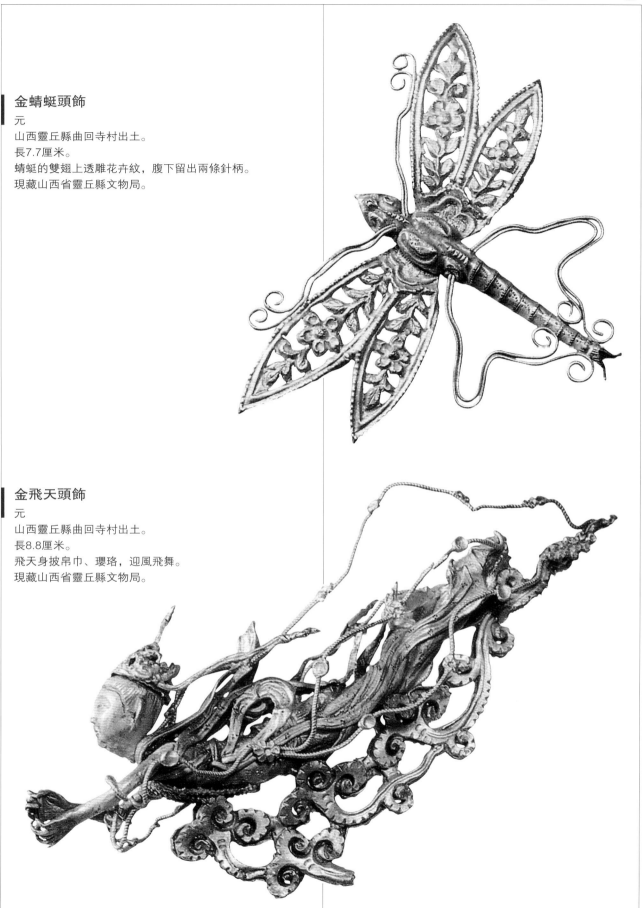

## 金飛天頭飾

元

山西靈丘縣曲回寺村出土。

長8.8厘米。

飛天身披帛巾、瓔珞，迎風飛舞。

現藏山西省靈丘縣文物局。

"聞宣造"纏枝蓮花紋金盤

元

江蘇蘇州市呂師孟墓出土。

高1.2、寬17.2厘米。

盤面由相互叠壓的四朵如意雲紋組成，中間由突起的四個雲頭組成盤心，盤內遍飾纏枝花草，底有"聞宣造"三字款。

現藏南京博物院。

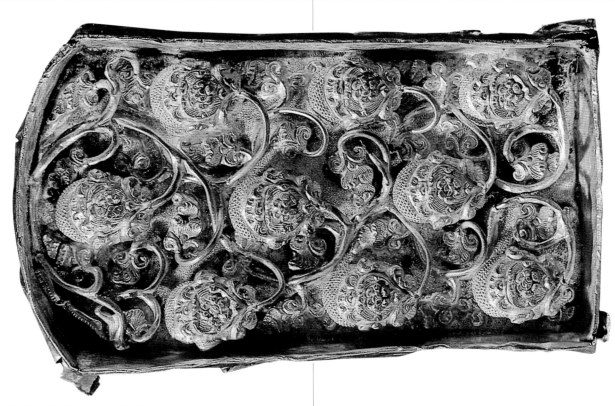

**纏枝花果長方形金飾件**

元

江蘇蘇州市呂師孟墓出土。

長15.3、寬8.7厘米。

呈不規則長方形，四周有邊框，框內錘出高浮雕效果的
纏枝花果圖案。

現藏南京博物院。

**纏枝花果方形金飾件**

元

江蘇蘇州市呂師孟墓出土。

長8.5、寬7.9厘米。

呈不規則方形，四周有邊框，框內錘
出高浮雕效果的纏枝花果圖案。

現藏南京博物院。

元（公元一二七一年至公元一三六八年）

## "文王訪賢" 金飾件

元

江蘇蘇州市呂師孟墓出土。

長10.9、寬7.2厘米。

飾件呈"凸"字形，邊框飾以鋸齒紋，框內錘出高浮雕效果的"文王訪賢"歷史故事，一端有孔，作穿繫之用。

現藏南京博物院。

## 荷花鴛鴦金帔墜

元

江蘇蘇州市呂師孟墓出土。

長7.5、寬5.1厘米。

由兩片鏤刻精緻的金片構成。頂部一孔，用以穿繫，正面飾鴛鴦如意紋。

現藏南京博物院。

## "聞宣造"鎏金團花八棱銀盒

元

江蘇蘇州市呂師孟墓出土。

高8.9、腹徑24.8厘米。

盒身呈八棱形，下接八棱圈足，器口承一淺盤，盤心綫刻雙鳳盤翔圖。盒外壁鏨刻四十八朵纏枝花卉。

現藏南京博物院。

"聞宣造"鎏金團花八棱銀盒局部

**鎏金團花銀盒**

元

江蘇蘇州市呂師孟墓出土。

高3.2、口徑15.3厘米。

蓋與身以子母口相連，蓋頂中心鏨刻一大團花圖案，四周繞以八簇小團花，盒側壁飾捲草紋。

現藏南京博物院。

**葵瓣銀盒**

元

江蘇蘇州市呂師孟墓出土。

高4.6、腹徑9厘米。

蓋與身形制相同，爲六曲葵瓣形，通體光素。

現藏南京博物院。

## 金帶飾

元

江蘇無錫市錢裕墓出土。

長8、寬5.5厘米。

呈四曲花瓣形。寬沿，魚子紋地上浮雕一隻獾子，背面壓印"陳鋪造□十分赤金"。

現藏江蘇省無錫市博物館。

## 鎏金花瓣式銀托和銀蓋

元

江蘇無錫市錢裕墓出土。

通高5.8厘米，蓋高5.5、口徑8.8厘米，托高1.5、徑18厘米。

蓋及托皆爲花瓣形，花瓣之上陰刻折枝花卉紋飾。

現藏江蘇省無錫市博物館。

**如意雲紋銀盒**

元

江蘇無錫市錢裕墓出土。

高5.5、直徑14.5厘米。

通體飾如意雲紋，蓋與盒以子母口相合。盒內底有壓印"篠橋東陳鋪造□"七字款。

現藏江蘇省無錫市博物館。

**梵文銀盤**

元

江蘇金壇市湖溪元窖藏出土。

口徑14.8厘米。

寬折沿、淺腹、平底，盤口飾一周回紋，盤心壓印梵文，周圍繞以八瓣仰蓮，每瓣內亦壓印一梵文，外繞八個金剛杵。

現藏江蘇省鎮江博物館。

**鎏金蓮花銀盞**

元

江蘇金壇市湖溪元窖藏出土。

高4.5、口徑9.1厘米。

盞身作十瓣仰蓮狀，圈足爲覆蓮形，通體鎏金，内底飾
一蓮花。

現藏江蘇省鎮江博物館。

**蟠螭銀盞**

元

江蘇金壇市湖溪元窖藏出土。

高3.9、口徑6.8厘米。

盞一側附一蟠螭，呈抱盞狀，螭首伸進盞内，似在飲
水。盞内壁陰刻雲雷紋，盞口外沿陰刻"范婆橋西徐二
郎花銀"九字。

現藏江蘇省鎮江博物館。

銀鏡架

元

江蘇蘇州市元張士誠父母合葬墓出土。

通高32.8厘米。

銀架可以折疊，主框架頂部飾鏤空雙鳳戲牡丹紋，正中一突起的游龍。副框架中心有六瓣花形開光，内飾浮雕狀玉兔、蟾蜍和靈芝紋。主框架與副框架用鉚銷相連，可以轉動。

現藏江蘇省蘇州博物館。

## 六瓣葵形銀奩

元

江蘇蘇州市元張士誠父母合葬墓出土。

通高24.3厘米。

六瓣葵花式，上下三層，器表面以陰綫刻
四季花卉圖案，奩內盛放一套梳妝用具，
共二十四件。

現藏江蘇省蘇州博物館。

六瓣葵形銀奩內用具

### 銀槎

元

江蘇蘇州市吳中區藏書鄉社光村出土。

高11.4、寬7.5、斜長22厘米。

槎身做老樹枝杈狀，一老道士半仰于槎上，一手扶槎，一手置于腿部，神態安詳自若，背面槎尾上刻"至正乙酉朱碧山造"八字。至正乙酉爲至正五年（公元1345年）。迄今所見朱碧山製銀槎三件，此件是唯一出土品。

現藏江蘇省蘇州市吳中區文物管理委員會。

**金杯**

元

安徽合肥市孔廟大成殿窖藏出土。

高2.3厘米。

杯作四曲葵瓣形，一側有鋬，通體素面。

現藏安徽省博物館。

**金碟**

元

安徽合肥市孔廟大成殿窖藏出土。

長15、寬15厘米。

通體素面，近一側口沿處刻"韋仲英造"四字款。

現藏安徽省博物館。

## 銀壺（右圖）
元
安徽合肥市孔廟大成殿窖藏出土。
通高51厘米。
有蓋，鈕爲寶珠形。
現藏安徽省博物館。

## 銀匜
元
安徽合肥市孔廟大成殿窖藏出土。
高5.2、口徑18.1厘米。
通體素面，流下附焊一環形捉手。
現藏安徽省博物館。

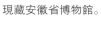

### 鎏金葵紋銀盤
元
江西新余市水西鎮出土。
口徑16.5、底徑12.1厘米。
口沿飾花卉一周，内底邊緣飾高隆
起葵紋，中心飾綬帶蝴蝶一對，外
底亦飾葵紋。紋飾鎏金。
現藏江西省新余市博物館。

### 鎏金"壽比仙桃"銀杯
元
福建泰寧縣出土。
高3.8、長9.4、寬7.8厘米。
整體爲半個桃形。
現藏福建省三明市文物管理委員會。

### 金鳳釵

明

江西南城縣明益宣王朱翊鈏墓出土。

通高22.8厘米。

一對。鳳身以極細的金絲掐成，鳳羽及尾翼呈鏤空狀，繁複精緻。釵脚上刻有"銀作局永樂貳拾貳年拾月内成造玖成色金貳兩外焊二分"款，永樂二十二年爲公元1424年。

現藏江西省博物館。

金鳳釵局部

明（公元一三六八年至公元一六四四年）

### 西王母乘鸞金釵

明

江西南城縣明益宣王朱翊鈏墓出土。

長10厘米。

鸞身鑲嵌大小紅、藍寶石十一枚。西王母坐于鸞背上，
頭戴花冠，身披雲肩，雙手持芙蕖。

現藏江西省博物館。

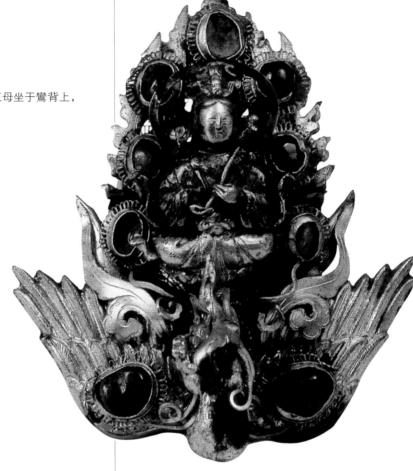

### 金髮箍

明

江西南城縣明益宣王朱翊鈏墓出土。

高4.5、長21厘米。

箍呈弧形，襯底鏤雕成朵雲狀。其上平行鑲嵌用金葉錘
壓的九座神龕，内嵌仙人，外飾祥雲、海濤和山石。

現藏江西省博物館。

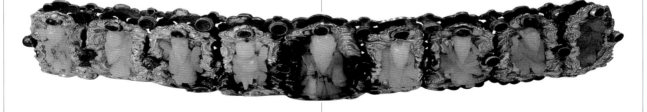

### 金鳳釵
明
江西南城縣明益宣王朱翊鈏墓出土。
長15厘米。
一對。鳳由金葉錘壓而成，鳳頭和雙翼嵌一顆紅寶石。
現藏江西省博物館。

### 金釵
明
江西南城縣明益宣王朱翊鈏墓出土。
長14.8厘米。
一對。用金絲編繫成一朵霞雲狀襯底，朵雲四周鑲嵌
十一顆紅、藍寶石。一隻用金葉鏨錘的金鳳鑲於其中。
現藏江西省博物館。

### 樓閣人物金簪

明

江西南城縣明益莊王朱厚燁墓出土。

通高18.1厘米。

簪體形似艾葉，葉尖偏向一側，正面錘鍱出上下兩層樓
閣及人物，底部襯以纍絲花卉圖案。

現藏中國國家博物館。

### 樓閣人物金簪

明

江西南城縣明益莊王朱厚燁墓出土。

高9厘米。

上層閣內二人倚坐；下層中央端坐一人，兩旁有侍女執
物侍候。

現藏中國國家博物館。

金鳳紋霞帔墜
明
江西南城縣明益端王朱祐檳墓出土。
長9、寬7厘米。
呈桃心形，兩面鏤空飛鳳紋。
現藏江西省博物館。

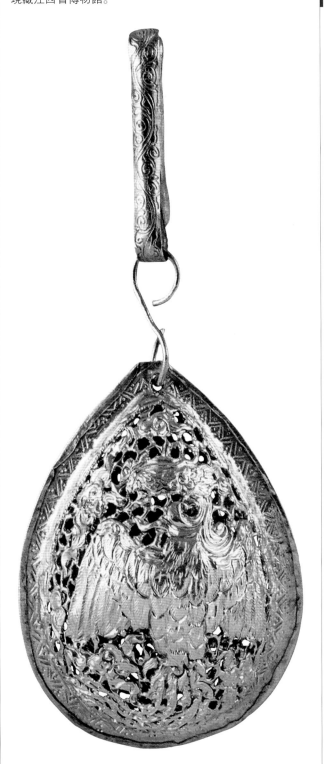

雲鳳紋金瓶
明
北京海淀區董四墓出土。
高13、口徑4.7厘米。
通體鏨刻紋飾，口沿爲捲草紋，頸部爲小雲鳳紋，腹部爲大雲鳳紋。底有“隨駕銀作局宣德玖年玖月内造捌成伍色金拾伍兩重外焊伍厘”款，宣德九年爲公元1434年。
現藏首都博物館。

## 鏨花金飾件

明

北京宣武區萬貴墓出土。

通長52厘米。

金墜上以金鏈連結七件飾物，有剪刀、小瓶、錐子、圓盒等，墜上另附一條金鏈用以穿戴。墓主人萬貴爲明憲宗萬貴妃之父，卒于成化十一年（公元1475年）。現藏首都博物館。

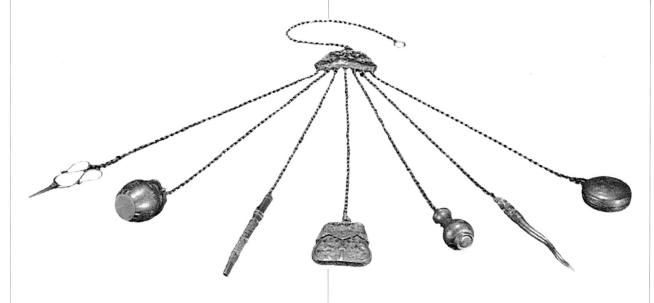

鏨花金飾件局部之一

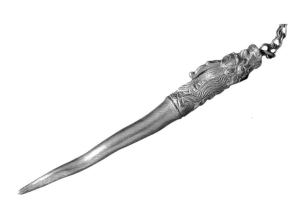

鏨花金飾件局部之二

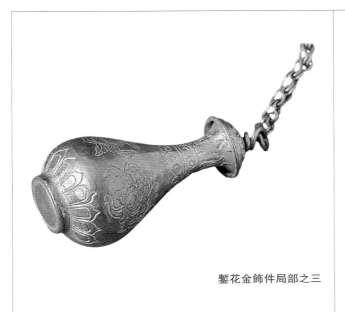

鏨花金飾件局部之三

鏨花金飾件局部之六

鏨花金飾件局部之四

鏨花金飾件局部之七

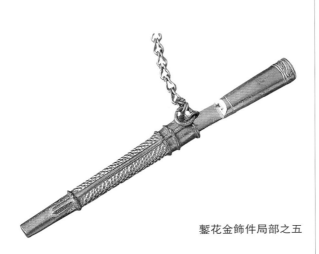

鏨花金飾件局部之五

鏨花金飾件局部之八

明（公元一三六八年至公元一六四四年）

鏨花人物樓閣圖金八方盤

明

北京宣武區萬貴墓出土。

盤徑16.2厘米。

盤呈八方形，盤心鏨刻一組人物故事圖，刻畫人物、樓閣、樹木、馬匹、山石等内容。盤沿飾連續幾何圖案。現藏首都博物館。

## 八方金盞和金盞托

明

北京宣武區萬貴墓出土。

盞高2.9、盞托口徑18.2厘米。

盞八方形，盞心圓雕太白醉酒像，盞外壁鏨刻八仙人
物。盞托圓形，口沿飾回紋一周，中心爲一"壽"字，
四周飾海水江牙瑞獸紋。

現藏首都博物館。

明（公元一三六八年至公元一六四四年）

嵌寶石龍紋帶蓋金執壺

明
北京宣武區萬通墓出土。
高19.4厘米。
壺蓋、壺頸及近底部鏨刻蕉葉紋、捲草紋、如意雲頭紋
和蓮瓣紋。腹部兩側火焰形開光內刻四爪翼龍兩條。蓋
頂、流、柄上鑲嵌紅、藍寶石。墓主人萬通為明憲宗萬
貴妃之弟，卒于成化十八年（公元1482年）。
現藏首都博物館。

## 金執壺

明

北京宣武區萬通墓出土。

高29.5厘米。

寶珠形鈕上有金鏈與壺把相連，流分六面，腹
前後兩側有桃形開光。

現藏首都博物館。

## 嵌寶石桃形金杯

明

北京宣武區萬通墓出土。

高4.4厘米。

杯呈半桃形，杯柄爲桃枝與桃葉，杯中與柄部鑲嵌紅、
藍寶石。

現藏首都博物館。

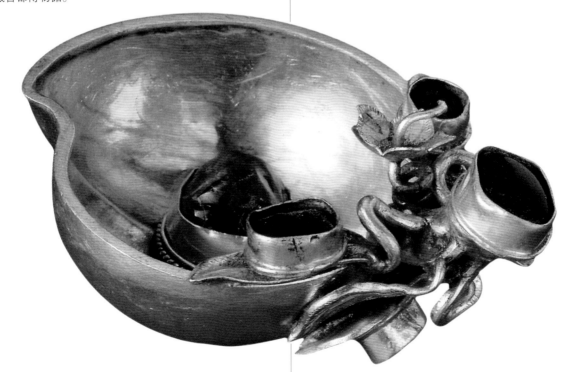

## 金冠

明

北京昌平區明定陵出土。

通高24厘米。

全部以金絲編成，兩條纍絲蟠龍立于冠頂，作二龍戲
珠狀。

現藏北京市定陵博物館。

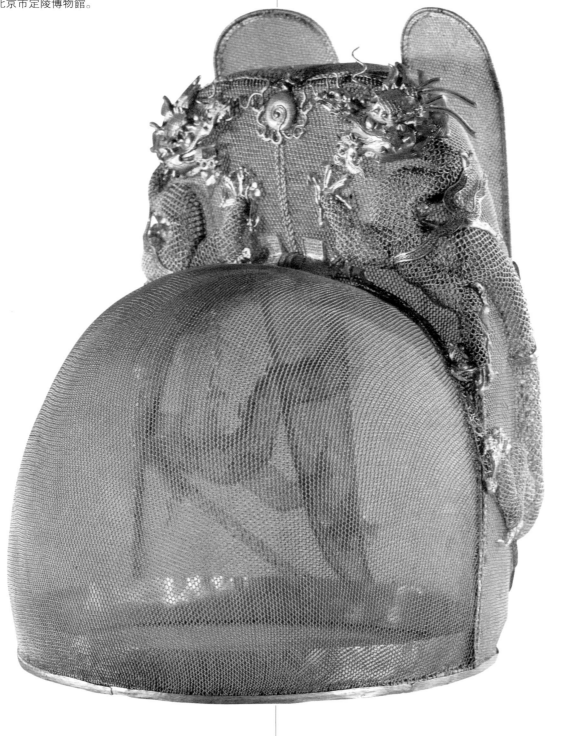

### 蟠龍紋金壺

明

北京昌平區明定陵出土。

通高21.8厘米。

覆盆形蓋，鈕爲玉質，方形腹前後兩側各嵌一玉雕蟠
龍，壺肩及腹部多處鑲嵌紅、藍寶石。

現藏北京市定陵博物館。

明（公元一三六八年至公元一六四四年）

### 游龍戲珠紋金盆
明
北京昌平區明定陵
出土。
高9.2、口徑52.4
厘米。
口沿處及盆底皆刻
游龍戲珠紋，口沿
背面刻銘四十字。
現藏北京市定陵博
物館。

### 游龍戲珠紋金盂
明
北京昌平區明定陵出土。
高5.9、口徑14.3厘米。
斂口、鼓腹、平底，外壁及内底鏨刻游龍戲珠紋。
現藏北京市定陵博物館。

## 雲龍紋金盒

明

北京昌平區明定陵出土。

高7.7、口徑13厘米。

器口、圈足及蓋口各飾一周勾連
雲紋，其餘部分刻劃雲龍紋及海
水江牙紋。

現藏北京市定陵博物館。

## 雲龍紋金粉盒

明

北京昌平區明定陵出土。

高5.1、口徑9.7厘米。

八棱形，子母口，盒內裝有粉撲蓋一個，上刻二龍戲
珠紋。圓鈕，周有小孔，用以聯綫綴連棉絮。通體鏨
刻龍紋。

現藏北京市定陵博物館。

**金匙箸瓶（右圖）**
明
北京昌平區明定陵出土。
通高12.2厘米。
腹刻龍鳳戲珠及雲紋，頸及貫耳飾如意雲紋，出土時瓶
內插有金箸一雙，金匙一把。
現藏北京市定陵博物館。

**鑲寶珠桃形金香熏**
明
北京昌平區明定陵出土。
通高16.5、柄長19.1厘米。
上下兩半分製而成。
現藏北京市定陵博物館。

## 鑲珠寶金托金爵

明

北京昌平區明定陵出土。

通高10.3、托徑15.9厘米。

爵腹外壁刻半浮雕式的二龍戲珠及海水江牙流雲紋，三足及二柱刻龍首紋，托中心立一樹墩形柱，三面分別雕出花瓶形，瓶內各插一支嵌有珠寶的花卉。

現藏北京市定陵博物館。

### 金盞金托

明

北京昌平區明定陵出土。

通高6.7厘米，盞高1.7、口徑6.7厘米，盤口徑14.1厘米。
盞下部有托及綉墩形承盞座，盤面刻勾連雲紋，腹壁飾
流雲、八寶紋，底刻雲龍紋。

現藏北京市定陵博物館。

### 雲頭形鑲寶石金帶飾

明

北京昌平區明定陵出土。

長15.3、寬7.9厘米。

背面兩端有穿帶鈕，一端爲鏤空梯形，另一端爲雙橋形
鈕，底托鏤刻八寶花卉等紋飾。正面鑲嵌紅綠寶石、猫
眼及珍珠等。

現藏北京市定陵博物館。

**鎏金麒麟紋銀盤**

明

北京昌平區明定陵出土。

高1、長17.1、寬13.4厘米。

此盤爲四曲長方形，口沿表面陰刻一周三角折綫紋，盤底飾一對麒麟，回首銜纏枝。

現藏北京市定陵博物館。

**鑲珠寶金銀簪**

明

北京昌平區明定陵出土。

左邊鎏金銀簪通長27.3厘米，中間金簪通長27.5厘米，右邊鎏金銀簪通長25厘米。

共三件。簪頂部有花朵，花朵上鑲嵌珠寶。

現藏北京市定陵博物館。

明（公元一三六八年至公元一六四四年）

### 雲龍紋金帶板

明
江蘇南京市板倉明墓出土。
金帶板共二十塊，有圭形、長方形和桃形，每塊帶板上
均鑿游龍，周圍繞以雲氣紋。
現藏江蘇省南京市博物館。

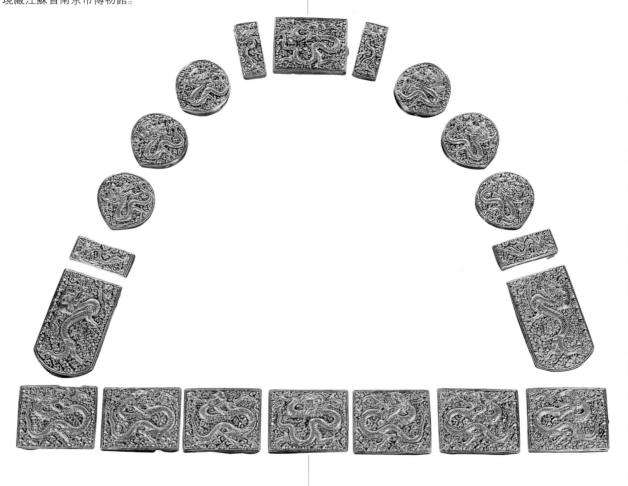

**鳳凰金釵**

明

江蘇南京市板倉明墓出土。

左長15.9、右長16厘米。

共二件。釵頭用纍絲工藝逐層纏繞成鳳凰形狀。

現藏南京博物院。

**雲鳳紋金帔墜**

明

江蘇南京市板倉明墓出土。

長9.55厘米。

桃心形狀，邊框鏨刻鋸齒圓點紋，中心鏤
刻鳳戲彩雲紋。

現藏南京博物院。

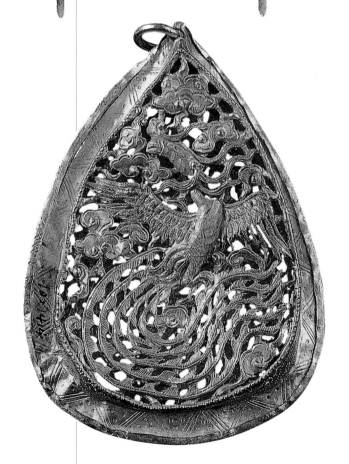

**金絲髻罩**
明
江蘇南京市栖霞山出土。
高9.2厘米。
用粗金絲製成骨架，再用細金絲編
成網狀，并在其上掐金絲花紋及雲
紋裝飾。
現藏南京博物院。

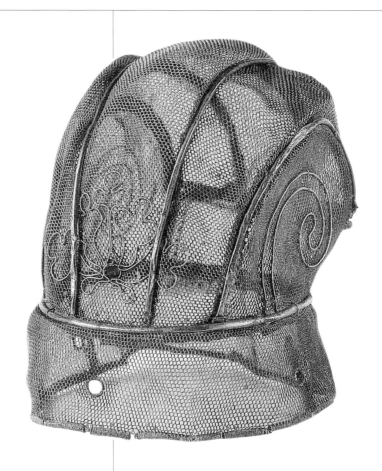

**嵌寶石金帽飾**
明
江蘇南京市中華門外明王氏墓出土。
高7.7、寬6.5厘米。
襯底鏤成纏枝捲草，上附三片長葉，各
色寶石鑲嵌其上。
現藏江蘇省南京市博物館。

**金耳環**

明

江蘇無錫市大墻門出土。

長5厘米。

一對。掐絲焊接而成。環呈橫
"S"形，墜用金絲編成葫蘆狀。

現藏南京博物院。

**金耳環**

明

江蘇無錫市大墻門出土。

長6.8厘米。

一對。墜成葫蘆形，纍絲而成，裝飾
菱形花紋。

現藏南京博物院。

**金耳環**

明

江蘇無錫市大墻門出土。

左長6.5、右長6.6厘米。

一對。墜由兩持蓮童子構成，妙趣
橫生。

現藏南京博物院。

明（公元一三六八年至公元一六四四年）

## 金蟬玉葉飾片

明

江蘇蘇州市五峰山出土。

長5.3厘米。

金蟬刻畫栩栩如生，附于白玉質葉片上，顯得玲瓏剔透，
惟妙惟肖。

現藏南京博物院。

## 金帶扣與挂飾

明

江蘇常州市武進區都家塘明墓出土。

帶扣通長11.2厘米，挂飾通高6.3厘米。

金帶扣呈橢圓形，中間一環形框，三個裝飾面上分別飾
游龍戲珠紋；背面有四個長方形穿孔。挂飾正面亦雕游
龍戲珠，下配龍首銜環。

現藏江蘇省常州博物館。

### 鳳紋金霞帔墜

明

安徽歙縣黄山儀表廠明墓出土。

通長15.2厘米。

呈桃心形，周圍邊框内鏨刻三角紋，中心透雕鳳凰及如意雲紋，頂裝金鈎，鈎内側刻"内官監造作色金計貳兩重釣圈全"十四字。

現藏安徽省歙縣博物館。

### 梵文金髮簪

明

江蘇常州市王家村出土。

通長12、寬5.8厘米。

簪首錘鍱成型，形狀似鏟。上端爲日月火焰，中間爲一鏤空梵文，下端以聯珠紋和蓮瓣紋裝飾。簪身銀質，固定于簪首背面。

現藏江蘇省常州博物館。

### 銀舍利塔

明

上海松江區李塔明代地宫出土。

高14、底座寬6.2厘米。

塔爲三層，第三層四面各有佛龕，中置坐佛。

現藏上海博物館。

### 蓮瓣式高足金杯

明

浙江龍游縣石佛村出土。

高10厘米。

杯身鑄成蓮瓣形，杯底銘刻"天啓六年季春月余榮四六置吉旦"，内底鑄"元"、"亨"二字。天啓六年爲公元1626年。

現藏浙江省龍游縣文物管理委員會。

## 花卉紋金杯

明
河南新蔡縣城北門外出土。
高3、口徑6.7厘米。
把爲樹枝狀，葉蔓延于外壁。
現藏河南博物院。

## 松枝紋銀杯

明
河南偃師市老城村出土。
高4.7、口徑6.8厘米。
把爲松枝狀，杯身飾枝葉。
現藏河南省偃師商城博物館。

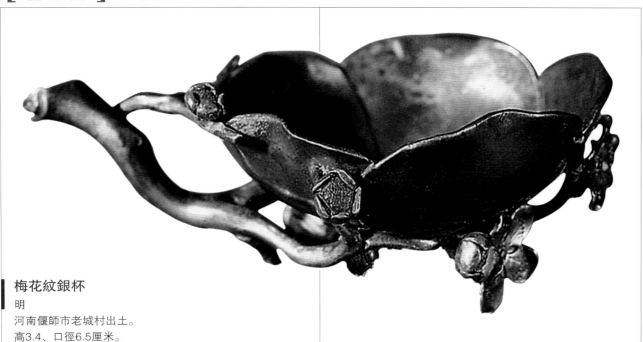

## 梅花紋銀杯

明

河南偃師市老城村出土。

高3.4、口徑6.5厘米。

由梅花枝托起一五瓣杯。

現藏河南省偃師商城博物館。

## 鏤雕串枝蓮嵌寶石金帶飾

明

四川平武縣王瀚墓出土。

鉈尾長10、寬6.2厘米。

此帶飾由鉈尾和各種形狀的銙飾組成，均以鏤空金絲花紋爲地，上嵌各色寶飾，套在飾有聯珠紋的金框內。

現藏四川博物院。

**鏤雕人物金髮飾**

明

四川平武縣王瀚妻朱氏墓出土。

高6.5、寬20厘米。

髮飾呈起伏的山形，分內外三層，內層中部爲七間宮殿式房屋，中層正中爲夫妻出行，外層雕廍門及圍欄，背面中部橫列四管狀鈕，用于穿繫髮帶。

現藏四川博物院。

**包金龍紋銀盒**

明

內蒙古巴林右旗出土。

高9.3、長23.5、寬16厘米。

盒面鏨刻龍戲珠紋，四角飾捲草紋，側面爲梅花紋和花鳥紋。

現藏內蒙古博物院。

明（公元一三六八年至公元一六四四年）

### 金酥油燈

明

四川阿壩藏族羌族自治州徵集。

高10.5、口徑7.6厘米。

燈盤用聯珠紋裝飾，腹部金絲纏繞，柄部蓮瓣向外張開，下接一仰蓮底座。

現藏四川博物院。

### 銀鼎

南明

湖南通道侗族自治縣瓜地村南明窖藏出土。

通高9.2、口徑7.7厘米。

造型仿青銅鼎，兩立耳下腹側各有一道鋸齒狀出戟，腹部鏨刻雲鶴紋。

現藏湖南省懷化市文物工作隊。

## 銀爵

南明

湖南通道侗族自治縣瓜地
村南明窖藏出土。

通高9.4厘米。

分鑄後焊接成型。腹部飾勾
連雲紋，鋬上飾水波紋。

現藏湖南省懷化市文物工
作隊。

## 蟠桃銀杯

南明

湖南通道侗族自治縣瓜地村南明窖藏出土。

口徑7.6–7.7厘米。

杯呈剖開的半桃形，一側附有枝葉，既作裝飾，又可作
把手。杯內底刻銘文二十三字。

現藏湖南省懷化市文物工作隊。

金編鐘

清

鐘高21.2厘米。

一套十六件，外形大小基本相同，鐘身正面刻 "黃鐘"
楷書律名，背面刻 "康熙五十五年製"，下有八個圓形
外突的平頭音乳。康熙五十五年爲公元1716年。
現藏故宮博物院。

### 嵌珠寶"金甌永固"金杯

清

高12.5、口徑8厘米。

腹部通飾半浮雕狀寶相花，并以珍珠、紅寶石、藍寶石作花心，杯口鏨刻回紋。正面有"金甌永固"四字銘文，背面有"乾隆年製"款識。

現藏故宮博物院。

### 龍紋葫蘆式金執壺

清

高29厘米。

壺身由上小下大兩個球體組成，中以束腰相連，壺的一側爲龍首形柄，另一側爲龍口銜曲流。壺通體飾祥雲游龍戲珠紋，并嵌以各色寶石。

現藏故宮博物院。

### 金賁巴壺

清

高18.4厘米。

通體鎮花嵌綠松石，做工精細，供奉在故宮的養心殿中。

現藏故宮博物院。

### 雲龍紋金執壺

清

高31.5、腹徑16厘米。

壺身鏨刻立龍紋飾，蓋呈塔形，三道弦紋之間刻二龍戲珠圖案。

現藏故宮博物院。

### 鎏金簪花龍柄銀壺

清

高59厘米。

壺身通體鏨花，肩腹部飾兩條騰龍，壺把壺流爲鎏金龍飾，壺流與壺頸有一龍相連，腹部金飾上鏨吉祥圖案。現藏西藏博物館。

包金鏨花銀執壺

清

高39厘米。

壺把壺流爲鑲金龍飾，腹部飾吉祥圖案。

現藏西藏博物館。

## 銀提梁壺

清

通高31、口徑8厘米。

蓋兩側各有一扁環與"S"形提梁相套，提梁上端以扣連結"U"型活提梁，下端與頸部獸形小鈕相套。壺體紋飾分爲四層，分別爲松鼠戲葡萄、雲龍趕珠、老者對弈、八寶等。

現藏故宮博物院。

## 鏨花金扁壺

清

高20厘米。

壺體呈扁圓形，壺頸、腹兩側及足上滿鏨回文，壺體正
背兩面飾雙龍及纏枝花草紋飾。

現藏故宮博物院。

## 嵌瑪瑙金碗

清

高19.8厘米。

碗蓋及足部鏨滿纏枝花草紋飾，并嵌綠松石，托盤呈花
瓣形，碗刻壽字，足刻乾隆款，整個器物具有滿、蒙、
藏三種風格。

現藏故宮博物院。

**鏨花高足白玉藏文金蓋碗**

清

通高26、碗直徑14.5厘米。

由金蓋、玉碗和金底托三部分構成。通體鏨紋飾，并嵌以各色松石。白玉碗內口沿鐫刻藏文，底刻"乾隆年製"款。

現藏故宮博物院。

### 銀纍絲花瓶

清

高17.1厘米。

分體焊接成型，敞口外翻，如同盛開的菊花，每一個菊瓣內均飾以纍絲鳳尾狀花葉紋，束頸之上附有一周纍絲環，圈足下沿鑲有一道銀口。

現藏故宮博物院。

### 金嵌珠塹花杯和杯盤

清

通高7.5、杯徑7、盤徑19厘米。

盤爲寬沿、平底，口沿飾纏枝花草，盤心滿塹朵雲紋，中有一覆盆形杯座。杯爲敞口、直腹，鏤空篆書"萬壽"爲耳，外壁塹游龍紋。

現藏故宮博物院。

### 飛鳳紋嵌寶折沿金盤

清

口徑36厘米。

盤裏心鏨刻鳳凰圖案，外圈飾纏枝花卉紋，最外圈飾八寶紋。折沿處飾花卉及神獸紋。口緣外鑲嵌數十顆綠松石、珍珠和寶石。

現藏西藏博物館。

飛鳳紋嵌寶折沿金盤內底

**鏨花八寶雙鳳紋金盆**

清

高9、外徑43厘米。

寬沿，平底，口沿及盆底皆飾半浮雕狀花紋，盆心焊接
三朵凸起蓮花，旁立對鳳。

現藏故宮博物院。

**銀圓盒**

清

高3.9、直徑9.5厘米。

通體飾纍絲花紋，其上有掐絲團花，花葉及花瓣內鑲嵌
燒藍和綠色琺琅釉，口沿、足部及骨架用粗銀條製成。

現藏故宮博物院。

### 鎏金珐琅金硯盒

清

高22.5厘米。

頂部爲一硯池，側壁開一洞，以置屜存放墨錠，底有八個如意形圈足，硯盒蓋面及四壁通飾夔龍紋，正中均嵌以圓形燒藍裝飾，盒底鏨有"大清乾隆年製"篆書款。
現藏故宮博物院。

### 鏨花金如意

清

長56厘米。

通體鏤雕花紋，并嵌以寶珠。如意頭爲嵌珠石鏤空花熏式，内可放置鮮花。
現藏故宮博物院。

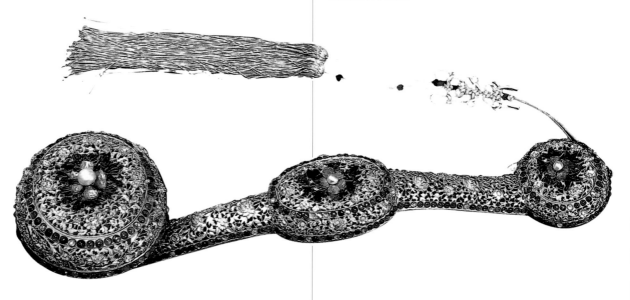

**嵌珠寶蝴蝶金簪**

清

長8、寬7.5厘米。

蝶身纍絲而成，蝶翅用掐絲技法製作，上嵌大量紅、藍
寶石及珍珠。

現藏故宮博物院。

**銀盆金鐵樹盆景**

清

通高28厘米。

銀盆六面，每面皆鏨刻仙人祝壽圖。鐵樹金質，樹頂有
五隻小蝙蝠，取"五蝠捧壽"之意。

現藏故宮博物院。

### 金天球儀

清

高82厘米。

天球由半球狀的兩個金葉接合
而成，球面布滿由大小珍珠組
成的三百六十八個星座，三千
餘顆星，并各具名稱。金球外
環繞子午綫與地平綫，九條相
互纏繞的行龍構成支架。此爲
清宮造辦處製作的天球模型。
現藏故宮博物院。

[ 金銀器 ]

清（公元一六四四年至公元一九一二年）

367

# 金月桂挂屏

清

高163、寬118.5厘米。

此挂屏以夔龍紋紫檀木爲框，頂端置有一對如意狀挂環，屏面用金錘打出山石、樹木、雲朵及明月，左上角嵌金字楷書"御製咏桂"詩一首。

現藏故宮博物院。

### 殿式金佛龕

清

通高65厘米，底長53、寬23厘米。

此龕爲單脊飛檐雙層宮殿式，正面每層各三個佛龕，兩側各一個佛龕，內供形態各异的金佛。殿壁通體鑲嵌繁密的纍絲纏枝紋，并以珍珠及松石八寶等作裝飾。

現藏故宮博物院。

## 八角亭式金佛龕

清

通高48厘米，底長23.5、寬23.5厘米。

龕為雙層八角亭式，每層各供一佛，四周開門，龕壁上滿飾纏枝花草紋，須彌座四周鏨刻蓮花及如意雲紋。

現藏故宮博物院。

## 鎏金銀佛塔

清

通高36厘米。

塔為方帳形，二層。須彌座塔基，一層塔身三面開門，四壁嵌以松石、瑪瑙，門內供鎏金坐佛一尊。二層不開門，裝飾花卉。塔頂之上置蓮花相輪寶珠塔刹。

現藏西藏自治區拉薩市羅布林卡。

清（公元一六四四年至公元一九一一年）

嵌寶金佛塔

清

通高85、座寬47厘米。

通體鑲嵌各色寶石，塔剎十三層，塔室內供奉青金石佛像一尊，主塔周圍置小金塔八座，狀如主塔，十字須彌座塔基。

現藏故宮博物院。

## 崇慶皇太后金髮塔

清

通高153厘米。

乾隆皇帝爲紀念其母，特建此塔供奉其母生前落髮。塔頂寶石日月，傘部垂珠，其下法輪十三重，面鏨梵文。塔室内供奉無量壽佛一尊，下接束腰合仰蓮花須彌座。現藏故宮博物院。

嵌松石鈴形金佛塔

清

通高173厘米，底座長76、寬76厘米。

佛塔爲倒置鈴形，塔底部雕相對雙層蓮瓣，腹部上下分別飾獸銜瓔珞及金剛杵紋飾。塔傘部兩側各有一鏨花幢，頂部爲珊瑚、白玉製成的日月和金質火焰。

現藏故宮博物院。

樓閣式金佛塔

清

通高43厘米。

七級樓閣式塔。塔基四周有圍欄，塔身每層四門四窗，窗作鏤空菱花形，門內供坐佛一尊，每層塔頂有八條龍形屋脊，口銜風鈴，塔刹上嵌紅珊瑚珠。

現藏南京博物院。

金 "大威德" 壇城

清

城高20、座高14.5、直徑17厘米。

采用錘、鏨、纍、堆、填等多種工藝製成，城基
外側鏨纏枝花草并嵌綠松石裝飾，城內正中爲經
殿，殿內坐大威德及衆賢，殿上傘幢林立。

現藏故宮博物院。

清（公元一六四四年至公元一九一一年）

**鏨金銀壇城**
清
通高45厘米。
壇城各層盤座表面，分別鏨刻象徵吉祥八寶、
七政、五妙欲等圖案。
現藏西藏博物館。

## 嵌松石金壇城

清

高7.2、直徑18.4厘米。

通體鎮花并鑲嵌珍珠、松寶石，腹壁鎮以梵文，
以聯珠紋鑲邊。

現藏故宮博物院。

## 銀經匣

清

高13、長30、寬11厘米。

銀匣呈拱形，頂面及四壁均平鏨花紋，頂中部有一蓋，
內貼一黃簽，墨書漢滿兩種文字，其內容相同，記述經
匣的來歷。匣兩側有一對弓形活耳。

現藏故宮博物院。

### 包金銀沐浴瓶

清

高47厘米。

瓶外緣和瓶底包金飾蓮瓣紋和纏枝花卉等。

現藏西藏博物館。

金鳳冠

清

江蘇豐縣大沙河鎮李衛墓出土。

高13厘米。

集錘鍱、鏨刻、焊接、鑲嵌等多種工藝于一身。以粗金絲爲骨架，冠檐焊接兩條金龍，冠面群鳳飛舞，其間點綴寶石珍珠，冠頂立四塊金牌，刻"奉天誥命"四字。現藏南京博物院。

金鳳冠

清

江蘇蘇州市靈岩山畢沅夫婦墓出土。

高15厘米。

以粗金絲做骨架，上綴金片、金葉組成的花卉和鳳鳥，檐部鏨雙龍戲珠，刻有"日月"、"恩榮"、"奉天"、"誥命"、"朝冠"十字的字牌立于冠中。現藏南京博物院。

清（公元一六四四年至公元一九一一年）

## 鎏金銀鳳冠

清

江蘇句容市出土。

直徑20厘米。

冠上飾二條龍和七隻鳳，并刻有"奉天誥命"字樣。

現藏江蘇省鎮江博物館。

## 嵌寶石金帽頂

清

高10.3厘米。

基部呈覆鉢式，通體鏨刻纏枝花草紋，接口處做蓮瓣
形，頂部托一晶瑩剔透的紅寶石。

現藏南京博物院。

## 金纍絲銀柄髮釵

清

江蘇蘇州市靈岩山畢沅夫婦墓出土。

通長11.2、柄長8.3厘米。

釵頭由金質海棠和葵花組成，海棠用金絲纍成，葵花用
金片錘鍱而成，花蕊皆用金珠點綴。

現藏南京博物院。

清（公元一六四四年至公元一九一一年）

## 孔雀形金飾

清

吉林通榆縣興隆山鄉公主墓出土。

長9.2厘米。

一對。作孔雀開屏狀，孔雀頭、頸及身纍絲而成，尾羽鍛製成型。孔雀口內含一銅珠，背上鑲嵌一顆較大珍珠。

現藏吉林省博物院。

## 龍形和松竹梅金簪

清

吉林通榆縣興隆山鄉公主墓出土。

中間二支長14.8厘米，左右二支長12.5厘米。

二對。均用金絲編製而成，并鑲嵌珠寶。

現藏吉林省博物院。

玻　璃　器

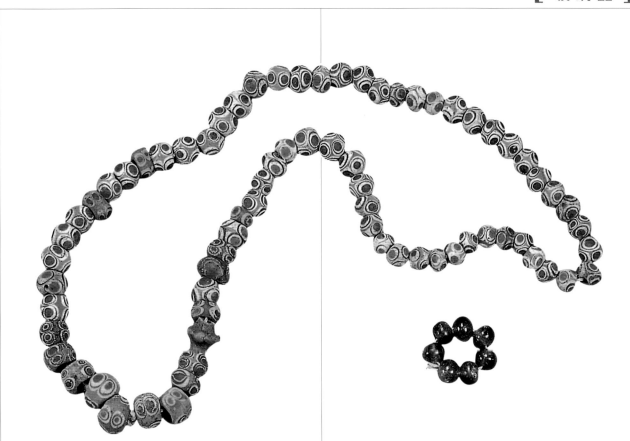

**玻璃珠**

戰國

湖北隨州市擂鼓墩曾侯乙墓出土。

直徑2.5厘米。

玻璃珠共二串，一串爲褐色透明，器形規整，另一串爲
蜻蜓眼，不甚規整。

現藏湖北省博物館。

**玻璃珠**

戰國

湖北隨州市擂鼓墩曾侯乙墓出土。

直徑1.7－2.5厘米。

四件皆爲蜻蜓眼式玻璃珠，顏色各异，中有穿孔。

現藏湖北省博物館。

**玻璃珠**

戰國

湖北江陵縣九店楚墓出土。

幾枚玻璃珠形態各異，在大的白色套環内又附加小的白色套環。

現藏湖北省博物館。

**玻璃珠**

戰國

河北平山縣中山王陪葬墓出土。

高1.8、直徑2.2、孔徑0.8厘米。

玻璃珠表面呈藍色，粘附五十五個白色套環，套環中顔色呈半透明狀。

現藏河北省文物研究所。

**玻璃珠**

戰國

河南洛陽市收集。

直徑6.3、腹徑6.2厘米。

爲紫地飾淺藍色蜻蜓眼式玻璃珠。

現藏河南省文物商店。

**玻璃珠**

戰國

河南輝縣市固圍村出土。

直徑1.3-1.7、長2.4厘米。

五枚爲蜻蜓眼，二枚爲素面，中心皆有一圓形穿孔。

現藏中國國家博物館。

**玻璃珠**

戰國

山東曲阜市魯國故城遺址出土。

球形者直徑2.7、鼓形者高2.8厘米。

深藍色球面飾白色螺旋紋，其中一件襯以幾何紋。爲蜻
蜓眼式玻璃珠。

現藏山東省曲阜市文物局。

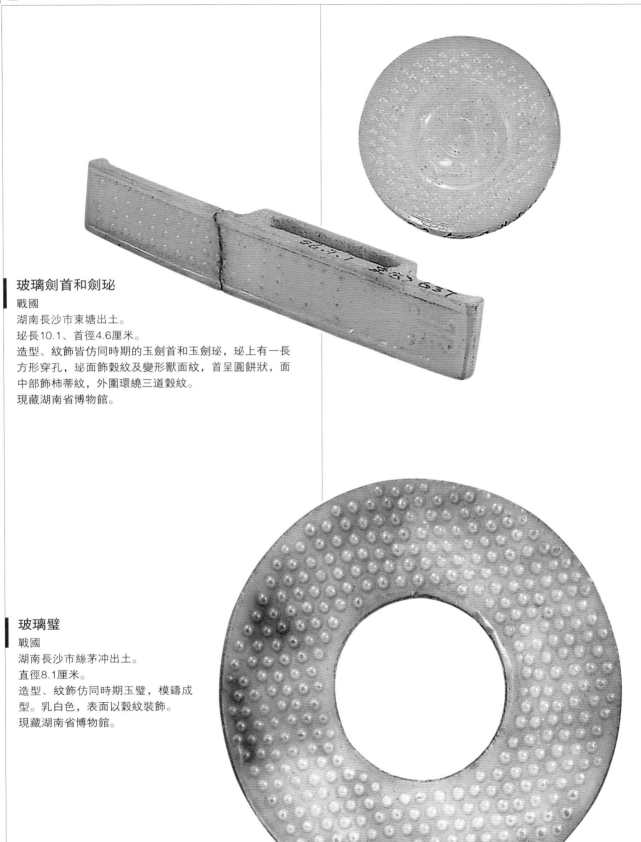

**玻璃劍首和劍珌**

戰國

湖南長沙市東塘出土。

珌長10.1、首徑4.6厘米。

造型、紋飾皆仿同時期的玉劍首和玉劍珌，珌上有一長方形穿孔，珌面飾穀紋及變形獸面紋，首呈圓餅狀，面中部飾柿蒂紋，外圍環繞三道穀紋。

現藏湖南省博物館。

**玻璃璧**

戰國

湖南長沙市絲茅沖出土。

直徑8.1厘米。

造型、紋飾仿同時期玉璧，模鑄成型。乳白色，表面以穀紋裝飾。

現藏湖南省博物館。

## 玻璃璧（右圖）

戰國

湖南長沙市陳家大山出土。

直徑14.1厘米。

深綠色，兩面飾渦紋。

現藏湖南省博物館。

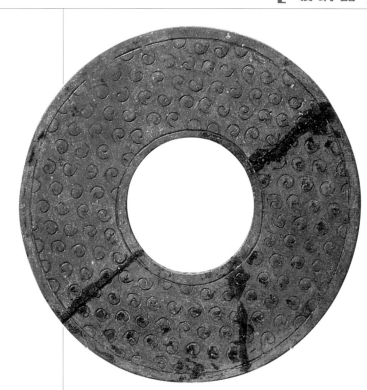

## 玻璃管

戰國

四川犍爲縣出土。

長2、直徑0.8厘米。

淡綠色，不透明，呈小竹管狀。

現藏四川博物院。

## 玻璃管

戰國

四川犍爲縣出土。

長1.3、直徑0.7厘米。

玻璃管呈淡綠色，不透明，管外壁有乳釘狀凸起，裝飾比較獨特。

現藏四川博物院。

## 玻璃杯

**西漢**

江蘇徐州市北洞山楚王墓出土。

高8.5、直徑8.3厘米。

此墓出土玻璃杯十六件，模鑄成型。杯身筒形，直壁，平底。杯呈淡綠色，外壁平滑有光澤，內壁較粗糙。杯身外沿下、中部和近底部有三道箍痕，原應有金屬飾物。

現藏江蘇省徐州博物館。

## 玻璃盤

**西漢**

河北滿城縣陵山中山靖王劉勝墓出土。

高3.2、口徑19.7、壁厚0.3厘米。

模鑄成型，平沿，直壁，淺腹，假圈足，顏色翠綠，晶瑩如玉。

現藏河北省文物研究所。

## 玻璃耳杯

西漢

河北滿城縣陵山中山靖王劉勝墓出土。

高3.4、長13.5、寬10.4厘米。

模鑄成型，造型仿同時期漆耳杯，器身橢圓，兩側有耳，微向上翹。

現藏河北省文物研究所。

## 玻璃璧

西漢

陝西興平市茂陵附近出土。

外徑23.4、孔徑4.8厘米。

璧呈深藍色，表面有白色銹蝕。模鑄成型，飾有穀紋，造型和紋飾均仿同時期玉璧。

現藏陝西歷史博物館。

西漢東漢（公元前二〇六年至公元二二〇年）

## 玻璃璧

西漢

廣西合浦縣望牛嶺2號漢墓出土。
外徑13、孔徑3.2厘米。
碧綠色，半透明，表面有穀紋裝飾。
現藏廣西壯族自治區博物館。

## 玻璃盤

西漢

廣西合浦縣母豬嶺漢墓出土。
高2.5、口徑12.7厘米。
湖藍色，接近透明，直口、弧腹、平底，口沿外側一周
弦紋，內腹部及底部有多道同心圓紋。
現藏廣西壯族自治區合浦縣博物館。

**玻璃環**

西漢

廣西合浦縣飼料公司7號
漢墓出土。

外徑7.6、內徑2.9、厚1.2
厘米。

鑄造成型，深藍色，半透
明，孔周圍起脊。

現藏廣西壯族自治區合浦
縣博物館。

**玻璃環**

西漢

廣西合浦縣飼料公司7號
漢墓出土。

外徑7.4、內徑3.1、厚1.1
厘米。

鑄造成型，深藍色，半透
明，造型仿同時期玉環。

現藏廣西壯族自治區合浦
縣博物館。

### 圓底玻璃杯
西漢
廣西合浦縣紅頭嶺漢墓出土。
高6.8、口徑9.3、腹徑9.7厘米。
深藍色，半透明，口微斂，鼓腹，腹中部有一圈帶狀突
起，外壁有製作時留下的旋轉擦痕。
現藏廣西壯族自治區合浦縣博物館。

### 圓底玻璃杯
西漢
廣西合浦縣文昌塔漢墓出土。
高5.2、口徑7.4、腹徑8.3厘米。
鑄造成型，淡青綠色，半透明，斂口，折腹，腹中部有
三道凸起弦紋，外壁有製作時留下的旋轉擦痕。
現藏廣西壯族自治區博物館。

## 玻璃龜形器

西漢
廣西合浦縣文昌塔漢墓出土。
長5.5、寬3.5厘米。
橢圓環狀，淡青綠色，透明，周緣有六個
三叉狀突起（已殘缺不全）。
現藏廣西壯族自治區博物館。

## 玻璃矛

西漢
湖南長沙市沙湖橋出土。
長18.8、刃寬2.2厘米。
模鑄成型，造型仿同時期銅矛，呈翠綠色，長骹，中部
有球狀突起，葉中起脊，兩側有血槽。
現藏湖南省博物館。

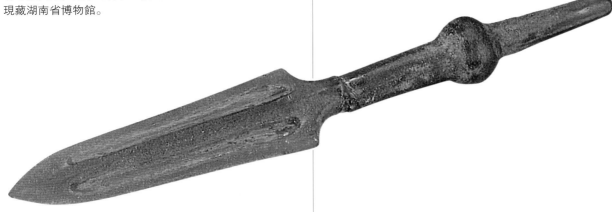

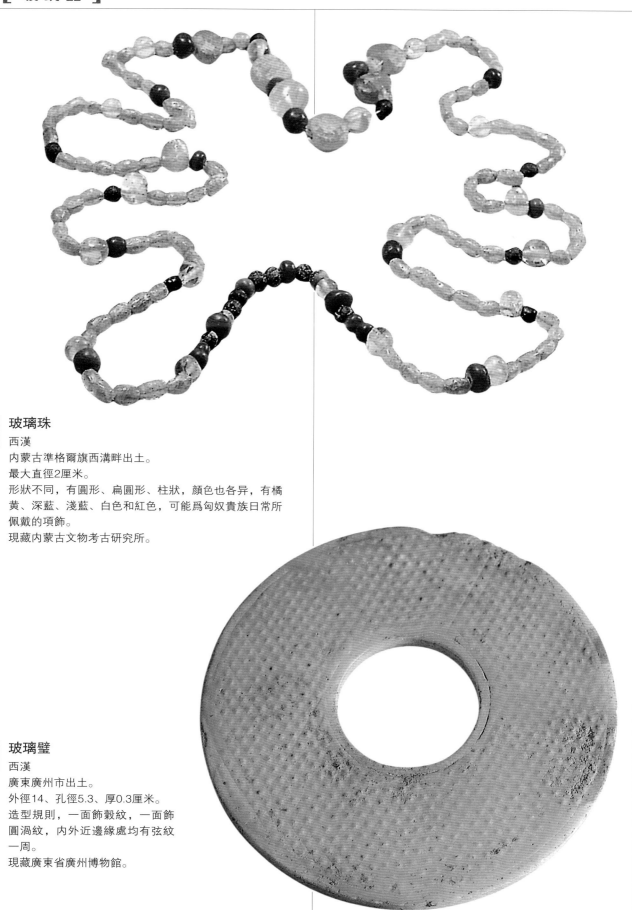

**玻璃珠**

西漢

內蒙古準格爾旗西溝畔出土。

最大直徑2厘米。

形狀不同，有圓形、扁圓形、柱狀，顏色也各异，有橘黃、深藍、淺藍、白色和紅色，可能爲匈奴貴族日常所佩戴的項飾。

現藏內蒙古文物考古研究所。

**玻璃璧**

西漢

廣東廣州市出土。

外徑14、孔徑5.3、厚0.3厘米。

造型規則，一面飾穀紋，一面飾圓渦紋，內外近邊緣處均有弦紋一周。

現藏廣東省廣州博物館。

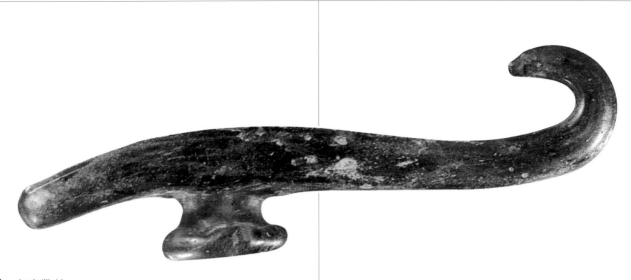

## 玻璃帶鈎
西漢
廣東廣州市登峰路橫枝崗出土。
長7.8厘米。
翠綠色，質地純净，通體光素無紋，背後有一圓餅狀鈕。
現藏廣東省廣州博物館。

## 藍琉璃碗
西漢
廣東廣州市登峰路橫枝崗出土。
高4.7、口徑10.5、壁厚0.3厘米。
深藍紫色，不透明，模製成型，外壁及口沿經過打磨，
表面附着一層風化層。
現藏廣東省廣州博物館。

**嵌銅玻璃板牌**
西漢
廣東廣州市象崗山南越王墓出土。
框長10.1、寬5.1厘米，玻璃厚0.3厘米。
銅框表面銹蝕嚴重，框內嵌深藍色半透明玻璃，質地純
凈，平整光滑，銅框背後有兩個半環形鈕。
現藏廣東省廣州南越王墓博物館。

**玻璃耳璫**
東漢
河南洛陽市燒溝漢墓出土。
高2.1、底徑1.8厘米。
近黑色，上小底大，呈喇叭形，中有一穿孔。
現藏河南省洛陽市文物工作隊。

## 玻璃耳璫

東漢

高2.4、直徑0.9-1.2厘米。

深藍色，半透明，呈腰鼓形狀，中有穿孔。

現藏故宮博物院。

## 玻璃琀

東漢

河南洛陽市燒溝漢墓出土。

長4.5、寬2.6厘米。

表面銹蝕嚴重，呈蟬形，用簡單的綫條刻劃出蟬的頭部及翅膀。

現藏河南省洛陽市文物工作隊。

## 玻璃瓶

東漢

河南洛陽市機車二廠出土。

高13.6、口徑4、腹徑7.5厘米。

吹製而成，表面風化嚴重，從瓶底延伸至瓶口有白色螺旋狀綫紋。

現藏河南省洛陽市文物工作隊。

## 托盞高足玻璃杯

東漢

廣西貴港市漢墓出土。

杯高8.4、口徑6.4、足徑5.3厘米，托盤高2.4、口徑12.4厘米。

通體透明，呈淡青色。杯口稍斂，腹部三道凸弦紋，高圈足。盤敞口、平底，内底有多道同心圓紋，應爲製作時留下的旋轉擦痕。

現藏廣西壯族自治區博物館。

西漢東漢（公元前二〇六年至公元二二〇年）

### 圓底玻璃盤

東漢

廣西貴港市汽路5號漢墓出土。

高3.4、口徑12.4厘米。

盤呈湖藍色，半透明。直口、淺腹、平底，繞口沿外側一周弦紋，盤底數道同心圓紋。

現藏廣西壯族自治區博物館。

### 圓底玻璃碗

東漢

廣西貴港市汽路5號漢墓出土。

高3.7、口徑7.7厘米。

鑄造成型，深藍色，半透明，直口弧腹，口沿外側及腹部有弦紋裝飾。

現藏廣西壯族自治區博物館。

**碧琉璃杯**

東漢

廣西貴港市火車站出土。

高3.2、口徑5.9厘米。

杯呈淡綠色，透明，模壓成型，直口，深腹，表面經風化變烏。

現藏中國國家博物館。

**玻璃穀紋璧**

漢

甘肅靜寧縣出土。

直徑13.8厘米。

深灰色，不透明，表面通飾凸起穀紋，造型紋飾皆與同時期的玉璧相同。

現藏甘肅省博物館。

西漢東漢（公元前二○六年至公元二二○年）

## 項飾

漢

新疆和靜縣察吾呼溝古墓群3號墓地20號墓出土。
由玻璃珠穿綴而成，玻璃珠呈各種形狀，顏色各异。
現藏新疆文物考古研究所。

## 藍色琉璃珠項鏈

漢

新疆温宿縣包孜東41號墓出土。
項鏈由一百一十三粒玻璃珠穿綴而成，玻璃珠呈現深淺
不同的藍色，形狀不規則，素面無紋。
現藏新疆文物考古研究所。

### 料珠項鏈

漢晉

新疆民豐縣尼雅遺址出土。

項鏈由一百一十五粒玻璃珠和珊瑚穿綴而成。

現藏新疆文物考古研究所。

### 玻璃杯

漢晉

新疆且末縣扎滾魯克1號墓地49號墓出土。

高6.8、口徑6.8厘米。

白色稍泛黃，透明，小圓凹底，外壁磨有圓形和橢圓形
窩紋，分爲三層，共二十個。

現藏新疆維吾爾自治區博物館。

東晋十六國南北朝（公元三一七年至公元五八九年）

**玻璃杯**

東晋

江蘇南京市象山7號墓出土。

高10.8、口徑10厘米。

黃綠色，通體透明，敞口，弧腹，小平底，器表附着風化層，頸部有一周指甲紋，上下有弦紋環繞，腹部有七個橢圓形紋飾。

現藏江蘇省南京市博物館。

**玻璃罐**

東晋

江蘇南京市富貴山4號墓出土。

高7.8、口徑7.5厘米。

淡藍色，敞口，圓唇，斜肩，圜底。腹下部有二十條磨刻的綫條微微凸起。

現藏江蘇省南京市博物館。

**玻璃罐**

東晋

江蘇南京市仙鶴觀東晋墓出土。

高7、口徑9.1、厚0.1–0.5厘米。

白色微泛青。肩腹有三組極淺細的弦
紋。腹及底部有四周磨光的竪長橢圓
形花紋。

現藏江蘇省南京市博物館。

**玻璃杯**

十六國·北燕

遼寧北票市馮素弗夫婦合葬墓出土。

高8.8、口徑9.3厘米。

吹製成型，通體墨綠，上有閃光綠紋
點綴，深綠、淺綠相映成趣，以顏色
取勝。

現藏遼寧省博物館。

東晉十六國南北朝（公元三一七年至公元五八九年）

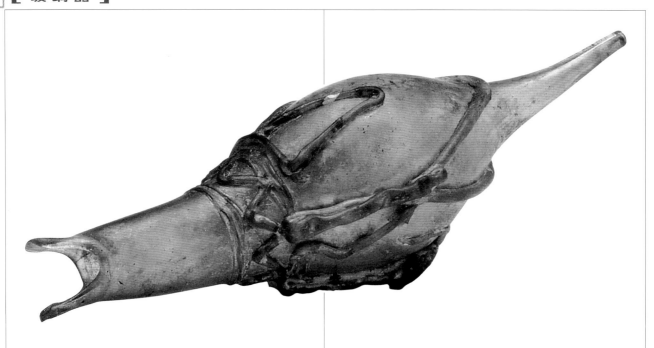

**玻璃鴨形注**

十六國·北燕

遼寧北票市馮素弗夫婦合葬墓出土。

殘長20.5、腹徑6.2厘米。

淡綠色，透明，橫長身，張扁嘴如鴨（倒置亦如花蕾），頸、腹用玻璃條盤捲作出裝飾，腹下部粘出折綫紋雙足，腹底粘一個平正的玻璃餅。

現藏遼寧省博物館。

**玻璃碗**

十六國·北燕

遼寧北票市馮素弗夫婦合葬墓出土。

高4.3、口徑13、壁厚0.2厘米。

淡綠色，透明，質地純净，口微收，向内捲沿，口外部有一道弦紋，下用玻璃條粘圈足，底部有粘疤殘痕。

現藏遼寧省博物館。

**玻璃杯**

十六國‧北燕

遼寧北票市馮素弗夫婦合葬墓
出土。

高7.7、口徑9.4厘米。

深綠色，透明，表面有風化痕
迹，口微侈、直壁、鼓腹、底
部內凹。

現藏遼寧省博物館。

**藍玻璃鉢**

北魏

河北定州市華塔塔基出土。

高7.9、口徑13.4厘米。

吹製成型，藍色，半透明，表面附着風化層，斂口，弧
腹，圜底。

現藏河北省文物研究所。

東晉十六國南北朝（公元三一七年至公元五八九年）

**玻璃瓶**

北魏

河北定州市華塔塔基出土。

高4.3、腹徑4.9、壁厚0.1厘米。

無模吹製而成，天青色，半透明，小口圓唇，球形腹，
圈底，瓶內氣泡較多，外壁附着銀白色風化層。

現藏河北省文物研究所。

**玻璃網紋杯**

北魏

河北景縣封氏墓地出土。

高6.7、口徑10.3、足徑4.5、
厚0.2厘米。

杯壁很薄，內壁光滑，外壁有
紋飾。

現藏中國國家博物館。

## 玻璃碗

北魏

山西大同市出土。

高7.3、口徑10.4、腹徑11.3厘米。

吹製成型，碗呈淡綠色，通體透明，直口，鼓腹，圜底，口沿下有一道凹槽，腹部有四層指甲紋裝飾，圜底正中有一大圓渦，周圍環繞六個相同大小的圓渦。

現藏山西省考古研究所。

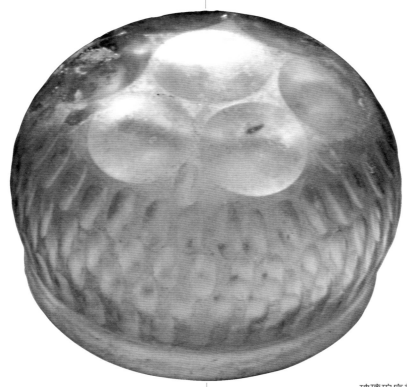

玻璃碗底部

東晋十六國南北朝（公元三一七年至公元五八九年）

**玻璃磨花碗**

北周

陝西咸陽市國際機場北周墓出土。

高3、口徑10.8厘米。

吹製成型，淡綠色，透明，小底微凹，表面有風化層，外壁飾兩周弦紋和三周磨花，磨花爲圓形或橢圓形稍內凹的小平面。

現藏陝西省考古研究院。

**玻璃碗**

北周

寧夏固原市清河鎮深溝村李賢夫婦合葬墓出土。

高8、口徑9.5厘米。

黃綠色，質地透明，器體內有少量氣泡，口微斂，鼓腹，餅足。外壁附有圓餅狀突起。

現藏寧夏回族自治區固原博物館。

**玻璃帶蓋小罐**

隋

陝西西安市隋李靜訓墓出土。

高4.3、口徑2.8厘米。

翠綠色，通體透明，整個器形呈球狀，平口，縮頸，頸上帶蓋，器口有磨平痕迹。

現藏中國國家博物館。

**玻璃瓶**

隋

陝西西安市隋李靜訓墓出土。

高12.3、口徑3.8、足徑4.9厘米。

吹製成型，翠綠色，通體透明，器身扁圓，口部與足部呈橢圓形。

現藏中國國家博物館。

### 玻璃瓶
隋
陝西西安市隋李静訓墓出土。
高16.3、口徑2.8、底徑5.6厘米。
通體墨綠色，半透明，小口，圓唇，無頸，
罐形腹，平底。
現藏中國國家博物館。

### 玻璃杯（左圖）
隋
陝西西安市隋李静訓墓出土。
高2.3、口徑2.7、足徑1.3厘米。
翠綠色，表面有腐蝕痕迹，杯爲直口，深腹，矮圈足。
現藏中國國家博物館。

## 玻璃戒指

隋

湖南長沙市出土。

直徑2.2厘米。

深藍色，扁圓環狀，一側稍寬，可能做戒面。

現藏湖南省博物館。

## 玻璃杯

隋

陝西西安市隋李静訓墓出土。

高2.4、口徑2.8、足徑1.3厘米。

藍色，表面有腐蝕痕迹，杯爲直口，深腹，矮圈足。

現藏中國國家博物館。

## 高足玻璃杯（右圖）

隋

廣西欽州市久隆隋唐1號墓出土。

高8.5、口徑7.4、足徑3.9厘米。

碧緑色，半透明，直口，深腹，喇叭狀足，杯外壁有少

量風化痕迹。

現藏廣西壯族自治區欽州市博物館。

隋唐（公元五八一年至公元九○七年）

**貼餅玻璃杯**

隋

新疆庫車縣森木塞姆石窟出土。

高9.7、口徑12.1厘米。

淡綠色，半透明，杯外壁飾上下交錯的圓形貼餅。

現藏新疆維吾爾自治區博物館。

**玻璃高足盤**

唐

高10.7、口徑29厘米。

玻璃呈淡黃色，足部中空。

現藏日本奈良正倉院。

**細頸玻璃瓶**

唐

河南洛陽市關林唐墓出土。

高11、口徑3、腹徑11.5厘米。

無模吹製而成，表面附着淡黃色風化層，小口，細頸，繭形腹，腹部有起伏狀波紋。

現藏河南省洛陽市文物工作隊。

**玻璃瓶（右圖）**

唐

陝西西安市臨潼區慶山寺舍利塔塔基出土。

高7、口徑3.9厘米。

玻璃瓶爲白色，表面塗有一層黑色物質，侈口，束頸，球腹，平底，肩部有一道凸起弦紋，腹部飾凸起的網格紋。整個器物造型類似陶器。

現藏陝西省西安市臨潼區博物館。

**龍鳳紋玻璃璧**
唐
陝西乾縣陽峪鎮南陵村靖陵
出土。
外徑10.9、孔徑3.5厘米。
繞璧緣刻一周弦紋，璧正反
兩面各刻一龍一鳳，并有一
如意雲頭分別與龍鳳相對。
現藏陝西省考古研究院。

龍鳳紋玻璃璧背面

416

### 龍鳳紋玻璃佩

唐

陝西乾縣陽峪鎮南陵村靖陵出土。

長10.4、高5厘米。

平面略呈梯形，上端五弧相連，正中鉚有鎏金泡釘及飾片，正面刻走龍寶珠紋，背面刻飛鳳寶珠紋。

現藏陝西省考古研究院。

龍鳳紋玻璃佩背面

花卉紋藍色玻璃盤

唐

陝西扶風縣法門寺塔唐代地宮出土。

高3.4、口徑19.9厘米。

寶藍色，質地純净透明，折沿平底，盤心凸出，盤內陰
刻團花紋，四周繞以雙環紋及一周蓮瓣。

現藏陝西省法門寺博物館。

### 四瓣花藍色玻璃盤

唐

陝西扶風縣法門寺塔唐代地宮出土。

高2.3、口徑20.2厘米。

藍色，透明，內底以細密的平行綫爲地，用雙綫勾勒出外圓和圓內的"十"字形輪廓，輪廓中心的方格內刻虛實相間的小斜方格紋，四側的弧頂內飾纏枝和葡萄葉紋，弧頂之間各刻飾一株樹木紋樣。

現藏陝西省法門寺博物館。

### 描金楓葉紋藍色玻璃盤

唐

陝西扶風縣法門寺塔唐代地
宮出土。

高2.1、口徑15.8厘米。

盤中心以八片楓葉環繞中心
團花，外圈爲一周辮狀紋。

現藏陝西省法門寺博物館。

### 描金波葉紋藍色玻璃盤

唐

陝西扶風縣法門寺塔唐代地宮出土。

高2.2、口徑15.5厘米。

盤中心以八瓣蕉葉狀花葉組成團花，其外以雙綫勾出一
周水波紋，雙綫内描金。

現藏陝西省法門寺博物館。

## 石榴紋黄玻璃盤

唐

陝西扶風縣法門寺塔唐代地宮出土。

高2.7、口徑14.1厘米。

爲釉彩玻璃器，即製成的玻璃表面塗一層彩色玻璃釉，
再用釉色描繪圖案。盤內壁爲黄色，花紋塗黑，口沿外
緣飾一周連弧紋，腹壁飾兩周弦紋，底部繪一石榴紋，
盤心凸起，底外壁有鐵棒痕。

現藏陝西省法門寺博物館。

**盤口細頸貼塑淡黃色玻璃瓶**

唐

陝西扶風縣法門寺塔唐代地宮出土。

高21、腹徑16厘米。

瓶體爲淡黃色玻璃拉成。盤口，細頸，鼓腹，瓶底有
一較厚的圈足。瓶體在細頸以下直到瓶底部，有五層
不同的裝飾。

現藏陝西省法門寺博物館。

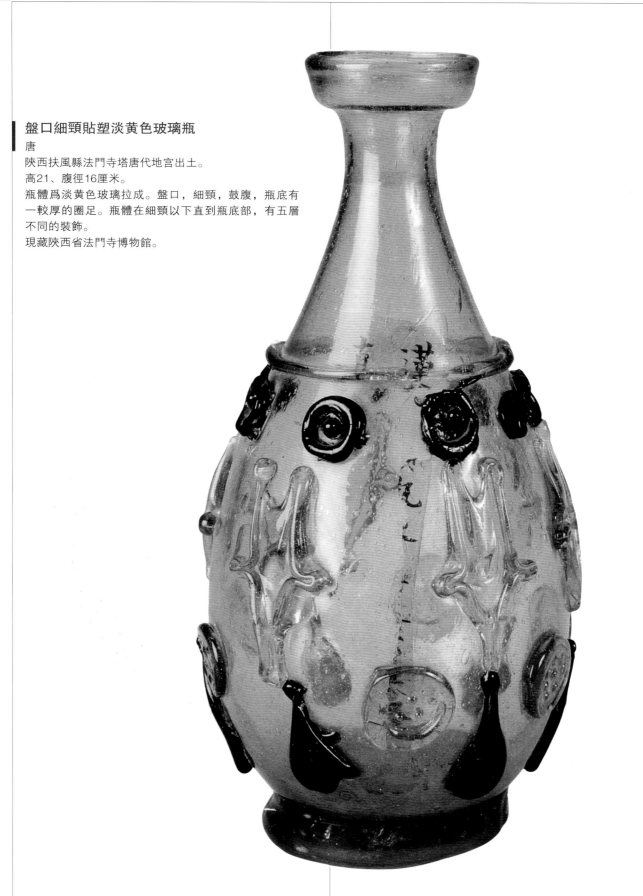

**菱環紋桶形黃色玻璃杯**

唐

陝西扶風縣法門寺塔唐代地宮出土。

高8.4、口徑8.2厘米。

腹壁外鼓，壁面裝飾五組花紋，每組中間爲一菱紋，菱紋內飾雙環紋，菱紋外上下各飾三組雙環紋，各組之間以兩竪行聯珠紋相隔，平底微內凹，底外壁有鐵棒痕。

現藏陝西省法門寺博物館。

**素面玻璃托盞**

唐

陝西扶風縣法門寺塔唐代地宮出土。

通高5.3、盞口徑12.7厘米。

玻璃呈淡黃色，製作稍顯粗略。

現藏陝西省法門寺博物館。

**刻花玻璃瓶**

遼

天津薊縣獨樂寺塔塔室出土。

高26.4厘米。

淺綠色半透明，平口，外翻，長頸，平肩，桶形腹，

頸部及肩部刻幾何紋樣，表面附着黃色氧化層。

現藏天津博物館。

### 綠玻璃方盤

遼

遼寧法庫縣葉茂臺7號遼墓出土。

高2、盤邊長9.9厘米。

磨花玻璃製品，翠綠色，半透明。盤面磨花，下有四錐
形足，因有裂痕，外緣鑲有銀扣，盤面有銀銅。

現藏遼寧省博物館。

### 刻花高頸玻璃瓶

遼

內蒙古奈曼旗遼陳國公主與駙馬合葬墓出土。

高24.5厘米。

無色透明，平底微內凹，腹壁較薄，底部較厚，器表
有磨花和刻花裝飾，外底有鐵棒痕。

現藏內蒙古文物考古研究所。

### 乳釘紋高頸玻璃瓶

遼

內蒙古奈曼旗遼陳國公主與駙馬合葬墓出土。
高17、口徑6、腹徑9.5、底徑8.7厘米。
無色，透明，口沿上塗一周淡藍色顏料，腹部飾
五周乳釘紋，口與腹之間有一用十層玻璃條堆成
的花式鏤空狀寬扁把手，底外部有鐵棒痕。
現藏內蒙古文物考古研究所。

**玻璃杯**

遼

內蒙古奈曼旗遼陳國公
主與駙馬合葬墓出土。
高11.4、口徑9、底徑
5.4厘米。
假圈足，扁圓形把手，
上端有圓餅物。
現藏內蒙古文物考古研
究所。

**乳釘紋玻璃盤**

遼

內蒙古奈曼旗遼陳國公主與駙馬合葬墓出土。
高6.8、口徑25.5厘米。
圈足，壁外飾一周錐形乳釘紋，有拜占庭風格。
現藏內蒙古文物考古研究所。

**金蓋鳥形玻璃瓶**

遼

遼寧朝陽市北塔天宮發現。

高16厘米。

通體透明，直口，有流，附金蓋，一側有曲鋬，鋬上立一玻璃柱，腹内有一綠色小瓶。

現藏遼寧省文物考古研究所。

**玻璃瓶**

北宋

河北定州市静志寺塔基出土。

高7.2厘米。

無模吹製成型，瓶爲黄綠色，透明度極高，直頸，圓肩，鼓腹，平底，晶瑩潤澤。

現藏河北省定州市博物館。

---

**刻花玻璃瓶**

北宋

河北定州市静志寺塔基出土。

高9.8厘米。

淺藍色，通體透明。頸、腹和底部均刻飾幾何形花紋。

現藏河北省定州市博物館。

**玻璃碗**

北宋

河北定州市静志寺塔基出土。

高9、口徑15、底徑6厘米。

青綠色，半透明，表面附着白色風化痕迹，敞口，弧腹，平底，器壁極薄。

現藏河北省定州市博物館。

**藍玻璃大腹瓶**

北宋

河北定州市静志寺塔基出土。

高17.7、腹徑9.8厘米。

無模吹製成型，深藍色，透明，頸部細小，膽形大腹。

現藏河北省定州市博物館。

**玻璃杯**

北宋

河北定州市静志寺塔基出土。

高8厘米。

無模吹製成型，藍色透明，表面有銀白色風化層，直口，鼓腹，平底。

現藏河北省定州市博物館。

## 玻璃葫蘆瓶

北宋

河北定州市静志寺塔基出土。

黃色瓶高4.4、腹徑3.1厘米，綠色瓶高4.3、腹徑2.9厘米。

無模吹製成型，造型仿葫蘆，口部有一孔，器壁很薄，光澤度極高。

現藏河北省定州市博物館。

## 玻璃葡萄

北宋

河北定州市静志寺塔基出土。

最大徑1.82、長2.15厘米，最小徑1.3、長1.4厘米。

葡萄粒係無模吹製而成，中空，腹壁極薄，形狀不一，顏色各异，以紫色爲主，玻璃質料略顯不純，雜有白色的旋狀紋，表面有黃色銹蝕斑。

現藏河北省定州市博物館。

## 玻璃花瓣口杯

北宋

河北定州市净衆院塔基出土。

高10、口徑16厘米。

無模吹製成型，淡綠色，半透明，口作六出花瓣式，束
腰，鼓腹，底部内凹。

現藏河北省定州市博物館。

## 玻璃壺形鼎

北宋

河南新密市北宋塔基出土。

高8.8、口徑3.1厘米。

吹製成型，表面有一層棕黃色銹蝕。三足
實心，用玻璃料棍製成，足端向上翻捲。

現藏河南省新密市文化館。

## 玻璃鳥形物 （右圖）

北宋
河南新密市北宋塔基出土。
高6厘米。
此器以深綠色半透明玻璃製成，體內中空，繞腹部有一
玻璃管，管上接雙翼，翼下套活環。
現藏河南省新密市文化館。

## 玻璃瓶

北宋
河南新密市北宋塔基出土。
高3.8–6.5、口徑1.2–1.9厘米。
三瓶造型各异，爲實心瓶。
現藏河南省新密市文化館。

### 玻璃瓶

北宋

河南新密市北宋塔基出土。

高4.2-7.2、口徑1.3-1.4厘米。

兩器皆作小口圓唇，直頸球腹，大瓶頸部附加一道凸起弦紋，器表銹蝕嚴重。

現藏河南省新密市文化館。

### 玻璃寶蓮形物

北宋

河南新密市北宋塔基出土。

高6厘米。

吹製成型，胎薄如紙，製作精良，但表面銹蝕嚴重。

現藏河南省新密市文化館。

**藍色玻璃碗**

北宋

陝西西安市第一中學出土。

高7.2、口徑17.2厘米。

深藍色，半透明，敞口，直壁，圈足，造型簡潔大方。

現藏陝西省西安博物院。

**藍玻璃唾壺**

北宋

高9厘米。

口頸部呈漏斗狀，底中部略內凹。

現藏日本奈良正倉院。

遼北宋南宋（公元九一六年至公元一二七九年）

**玻璃瓶**

北宋

高16.8、口徑3.5、腹徑5.9厘米。

吹製成型，淡綠色，透明，表面有風化層，小口直頸，圓筒形腹。

現藏遼寧省博物館。

**玻璃簪**

南宋

湖南長沙市出土。

長7.9、頭徑1.2厘米。

簪呈釘子狀，頂部爲一圓形凸起的圓帽，尾部尖銳。

現藏湖南省博物館。

## 玻璃蓮花托盞

元

甘肅漳縣元汪世顯家族墓出土。

盞高4.8、口徑8.6厘米，托高1、口徑12.5厘米。

由盞、托各一件組成，湖藍色，半透明，有虹彩現象。

盞呈七出蓮花狀，假圈足；托盤爲八出蓮花狀，平底。

現藏甘肅省博物館。

## 玻璃圭

元

江蘇蘇州市元張士誠父母合葬墓出土。

長42.6、寬6.5厘米。

頂部尖圓形，通體光素。

現藏江蘇省蘇州博物館。

元明清（公元一二七一年至公元一九一一年）

### 黄玻璃瓶

清

高16.8、口徑2.8厘米。

天球式瓶，圓口，直頸，球腹，圈足。瓶底刻"雍正年製"四字款。

現藏故宮博物院。

### 黄玻璃菊瓣式渣斗

清

高9.9、口徑9.7厘米。

明黄色，通體作十六瓣菊花式，敞口束頸，鼓腹，矮圈足。底部鐫刻"雍正年製"四字款。

現藏故宮博物院。

## 黃玻璃水丞

清

高5.6、口徑2厘米。

球狀，頂部有一小口，并附一銅質小勺，底部略平。陰刻"雍正年製"四字款。

現藏故宮博物院。

## 黃玻璃碗

清

高6.5、口徑12.2厘米。

明黃色，器型規整完美。碗底陰刻"乾隆年製"四字款。

現藏故宮博物院。

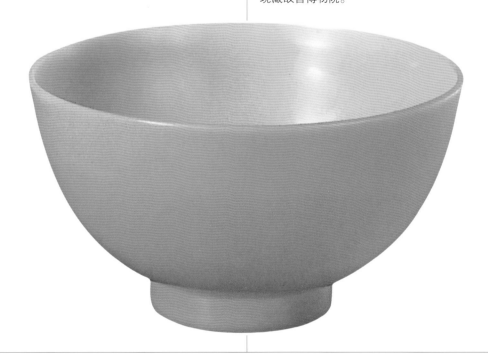

**孔雀藍玻璃瓶**

清

高26.6、口徑8.7厘米。

敞口外撇，細長頸，垂腹圈足，造型仿同時期的玉壺春瓶。圈足內鐫刻"乾隆年製"四字款。

現藏故宮博物院。

**黃玻璃鼻烟壺**

清

高7.5、腹寬3.3厘米。

晶瑩潤澤，附翡翠蓋及圓形烟碟。

現藏故宮博物院。

## 藍玻璃刻花蠟臺

清

高28.5、盤徑6厘米。

蠟臺由多部分組合而成，上面爲一高足盤，內有一支銅質蠟扦，中部爲大口淺盤，下面是覆鉢式高圈足，器身通飾綫刻纏枝花草和捲雲紋。中腰處刻有"乾隆年製"四字款。

現藏故宮博物院。

## 藍玻璃杯

清

高2.5、口徑4厘米。

外壁深藍色，內壁淺藍色，半透明，敞口，弧腹，矮圈足。

現藏遼寧省博物館。

## 藍玻璃鏤雕螳螂鼻烟壺

清

高7、腹寬4厘米。

在玻璃瓶體上浮雕、鏤雕扁豆兩枝，一隻螳螂栖息其上，通體藍色，蓋連竹勺。

現藏故宮博物院。

### 豇豆紅玻璃葫蘆形鼻烟壺

清
高7.7、最大腹徑3.6厘米。
葫蘆形，下接圓形實足，通體光素。
現藏故宮博物院。

### 灑金星玻璃葫蘆形鼻烟壺

清
高5.3、最大腹徑4.2厘米。
壺體由藍、深紅、赭、淡綠、淡黄、褐色等攪製而成，上面飾有不規則形狀的片狀金星，銅鍍金鏨花蓋連象牙勺。
現藏故宮博物院。

### 灑金星玻璃鼻烟壺

清

高6.9、腹寬4.3厘米。

扁圓形，寶藍色壺體上面灑有點點金星，仿佛夜空中的繁星閃閃，上附粉紅色水晶圓雕螭紋蓋，內連一象牙勺。

現藏故宮博物院。

### 金星玻璃鼻烟壺

清

高4、腹寬3厘米。

瓜棱形，腹體分作十二面，棕色玻璃內金光閃閃，壺蓋、壺體口部包金，用合頁相連，蓋內有珊瑚小蓋及象牙勺。

現藏故宮博物院。

### 金星玻璃"三陽開泰"山子

清

高12.5、長22厘米。

此山子運用金星玻璃雕琢成山石嶙峋的景象，三隻綿羊置于其中，一隻卧在山頂低頭俯視，一隻在半山腰抬頭仰望，還有一隻正在下山。

現藏故宮博物院。

## 金星玻璃天鷄式水盂

清

長21.5、高15厘米。

天鷄尖嘴，有鬚，鳳尾。背上有一注水用圓孔。

現藏故宮博物院。

元明清（公元一二七一年至公元一九一一年）

**粉紅玻璃三足爐**

清

高7.5、口徑8.5厘米。

呈鮮艷的紅珊瑚色，口沿兩側有兩橋形立耳，扁圓腹，
三乳足。外底刻"乾隆年製"四字款。

現藏故宮博物院。

**淡粉玻璃鼻烟壺**

清

高7、腹寬3.5厘米。

淡粉色，半透明，口部與足部顏色較深，呈粉紅色，銅
鍍金鏨花蓋連象牙勺，通體光素無紋。

現藏故宮博物院。

**磨花玻璃杯**

清

高3.4、口徑6厘米。

茶色透明，腹壁磨有山石花卉圖案。杯底鐫刻"乾隆年
製"四字款。

現藏故宮博物院。

## 攪胎玻璃瓶

清

高20.8、口徑11厘米。

喇叭狀瓶口，束頸，鼓腹，圈足外撇，從頸到足飾紅、白、藍三色相間的螺旋式攪胎紋。瓶底鐫刻"乾隆年製"四字款。

現藏故宮博物院。

## 彩色玻璃帶座瓶

清

高19.2、口徑6.2厘米。

白色，口部套紅，瓶座由六層顏色各异的圓餅狀玻璃相疊而成。最下層邊緣處刻"乾隆年製"四字款。

現藏故宮博物院。

### 紅透明玻璃直頸瓶

清
高9.2、口徑1.7、底徑4.6厘米。
吹製成型，質地純正透明，器型別致，俗稱"馬蹄尊式"。底刻"乾隆年製"四字款。
現藏故宮博物院。

### 藍透明玻璃瓶

清
高24、口徑5.5厘米。
頸細長，球形腹。底刻"光緒年製"四字款。
現藏故宮博物院。

**藍透明玻璃碗**

清

高6.6、口徑20厘米。

口作六瓣葵花形，腹壁斜收，小圈足。器底鐫刻"乾隆年製"四字款。

現藏故宮博物院。

**藍透明玻璃尊**

清

高19.5、口徑16厘米。

盤口，束頸，鼓腹，高圈足。口沿外側刻"雍正年製"四字款。

現藏故宮博物院。

### 緑透明玻璃渣斗

清

高8.7、口徑7.7厘米。

敞口、束頸、鼓腹、圈足，頸及腹部磨有連續的六角菱形連鎖裝飾。

現藏故宮博物院。

### 緑透明玻璃鼻烟壺

清

高6、腹寬4.6厘米。

壺體扁圓，側腹部磨成棱狀。底部陰刻"嘉慶年製"四字款。

現藏故宮博物院。

### 透明玻璃水丞

清

高7、口徑2.8厘米。

無色透明，經過磨光，蓋飾六角菱形連鎖圖案，腹部飾一周蓮瓣紋。底部陰刻"康熙御製"篆書款。

現藏故宮博物院。

## 玻璃胎畫珐琅花卉鼻烟壺

清

高6.2、腹寬4.8厘米。

頸部飾粉地蔓草紋，肩部爲裝飾性圖案，腹部繪梅花和茶花，近足處一周變形雲紋。壺底有藍色"乾隆年製"竪二行仿宋體款。

現藏故宮博物院。

玻璃胎畫珐琅花卉鼻烟壺另一側面

玻璃胎畫琺瑯仕女鼻烟壺
清
高7、腹寬2.6厘米。
扁長方體，白色玻璃胎，口部飾蕉葉紋一周，腹部四面
開光，正反面繪仕女圖，左右兩側繪胭脂粉西洋建築。
底部有藍色琺瑯釉"乾隆年製"四字款。
現藏故宮博物院。

玻璃胎畫琺瑯仕女鼻烟壺另一側面

## 白套紅玻璃魚形鼻烟壺

清

高7.5厘米。

造型像一尾直立的紅鯉魚，魚體白色，細刻鱗紋，口、
尾及鰭部套紅色玻璃，魚嘴作爲壺口，上接翡翠蓋，内
連象牙勺。

現藏故宫博物院。

## 白套橘紅玻璃花卉鼻烟壺

清

高5.2、腹寬3.8厘米。

白色玻璃胎上套飾橘紅色浮雕狀紋飾，一面爲海棠，一
面爲菊花，花叢中有蜜蜂起舞。底部陰刻"乾隆年製"
四字款。

現藏故宫博物院。

### 白地套紅玻璃桃蝠紋瓶

清

高14、口徑6.2厘米。

瓶胎爲白色，胎外套粉紅色紋飾。底部刻"乾隆年製"四字款。

現藏故宮博物院。

### 白地套紅玻璃八卦梵文杯

清

高10.3、口徑9.3厘米。

采用套料工藝，在涅白色玻璃胎體上飾紅色玻璃製成的浮雕式圖案，杯口部有兩道弦紋，弦紋之間爲八卦圖形，腹部飾螭文，其中夾雜梵文四個，近足處爲海水江牙紋，圈足外套透明的深紅色玻璃。

現藏故宮博物院。

### 白地套紅玻璃雲龍紋瓶

清

高29.5、口徑9.5厘米。

以白色玻璃做胎，外套紫紅色玻璃，頸部飾蕉葉、弦紋、纏枝花草和如意雲紋，腹中部飾二龍戲珠圖案，下部飾蓮瓣紋一周。底部刻"大清乾隆年製"六字款。現藏故宮博物院。

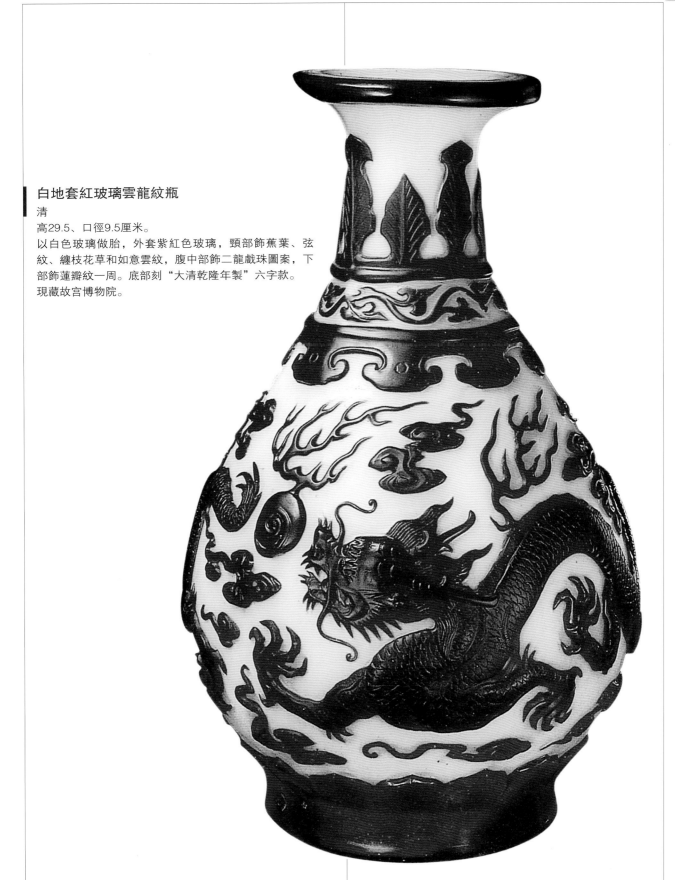

## 白地套紅玻璃雙合瓶

清

高15厘米。

瓶爲扁圓體，中間有一垂直的凹綫。白色玻璃爲胎，通體套紫紅色紋飾，一半爲纏枝蓮花紋，另一半爲糾結蟠螭紋。底部刻"乾隆年製"四字款。

現藏故宮博物院。

### 白地套藍玻璃超冠耳爐

清

高18、口徑11厘米。

白色玻璃爲胎，雙耳、三足和紋飾爲藍色玻璃。口外邊
飾回紋一周，并橫刻"乾隆年製"四字款，頸部飾纏枝
蔓草紋，腹部飾草龍紋。

現藏故宮博物院。

### 白地套藍玻璃雙耳瓶

清

高18.6、口徑7.3厘米。

白色玻璃作胎，紋飾及夔鳳紋雙耳由藍色玻璃製成，頸部飾弦紋及上下相對的蕉葉紋，腹部飾夔龍紋及纏枝蓮紋，近足處飾蓮瓣。底部刻"乾隆年製"四字款。

現藏故宮博物院。

### 白地套綠玻璃開光花卉紋瓶

清

高16、口徑3厘米。

在白色玻璃胎上套飾綠色浮雕狀紋飾，頸部爲變形纏枝花草、弦紋及回紋，腹部四個開光，每個開光內飾纏枝蓮花紋，底部爲一周捲雲紋。

現藏故宮博物院。

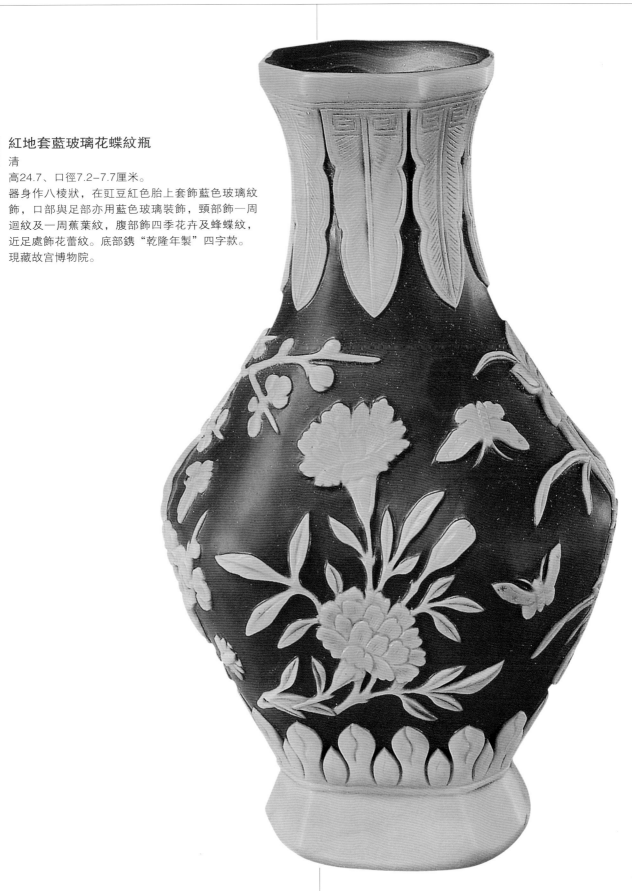

### 紅地套藍玻璃花蝶紋瓶

清

高24.7、口徑7.2-7.7厘米。

器身作八棱狀，在豇豆紅色胎上套飾藍色玻璃紋
飾，口部與足部亦用藍色玻璃裝飾，頸部飾一周
迴紋及一周蕉葉紋，腹部飾四季花卉及蜂蝶紋，
近足處飾花蕾紋。底部鐫"乾隆年製"四字款。
現藏故宮博物院。

元明清（公元一二七一年至公元一九一一年）

### 黄地套五彩玻璃瓶

清

高16.8、口徑1.5厘米。

鵝黃色玻璃做胎，其上套飾紅、藍、綠、黑、紫等五彩玻璃紋飾，并製成葡萄、蘿蔔、荷花、蕉葉等圖案。現藏故宮博物院。

### 黄地套綠玻璃瓜形盒

清

高4.7厘米。

器物造型爲一甜瓜，分蓋、身兩部分，在黃色玻璃胎上套飾綠色透明玻璃，并作成花葉狀，與黃色胎體相輔相成。現藏故宮博物院。

### 藍地套綠玻璃螭紋大丞

清

高3.9、口徑3.3厘米。

在深藍色胎體上裝飾淺綠色玻璃紋飾，器壁飾一對首尾相接的螭龍。器底鐫書“乾隆年製”四字款。現藏故宮博物院。

### 黃地套紅玻璃龍紋鉢

清

高13.3、口徑14.2厘米。

在乳黃色玻璃胎體上套飾紅色玻璃紋飾，口部飾一周回紋，腹部飾雲龍戲珠紋，底部雙層蓮瓣。器底鏨刻"乾隆年製"四字款。

現藏故宮博物院。